JN042184

コモンの再生

内田樹

文藝春秋

まえがき

みなさん、こんにちは。内田樹です。

今回は『GQ　JAPAN』に連載中のエッセイを単行本化しました。

この連載は、毎月いろいろなテーマについて担当編集者の今尾直樹さんからご質問を頂いて、それに僕が答えるという結構のものです。もうずいぶん長く続いています。前に一度、2016年に、自由国民社から『内田樹の生存戦略』というタイトルでまとめて単行本にしてもらいました。今回はそれ以後に寄稿したものを文藝春秋から出してもらうことになりました。

ご存じの方はご存じでしょうが、『GQ』って、すごくお洒落な雑誌なんです。なにしろ『VOGUE』の姉妹誌なんですからね。広告頁の時計とか服とか鞄とか車とかのブランドは、僕のような野暮な人間は生まれ変わってもご縁がないだろうと思われるものばかりです。でも、なぜか、その鈴木正文編集長は僕の反時代的な書きものが気に入ってくださって、もうずいぶん長いこと『GQ』でコラムを書き続けています。

コラムはかなり変わった作り方で、担当の今尾さんと鈴木編集長が神戸のわが家までいらしてくださって、お茶を飲みながらおしゃべりするのです。

そして、今尾さんが用意してきたいくつかの質問にその場で答える（素材が足りないときは、僕に会いに来る前に周りの人に「これからウチダさんに会うんだけど、なんか聞きたいことない？　なんでもいいよ〜」と言って集めてきたんじゃないかと思います。だからけっこう個人的な質問が多いです）。

その質問に僕と鈴木編集長が二人で答える。

そうなんです。二人で答えるんです。

だいたいいつも鈴木編集長が質問を聞いて、快刀乱麻のばっさり回答をする。それを聞いた僕が面白がって、負けじとさらに暴走的回答をする……というやり方で、たいていの場合、質問とぜんぜん関係ない方向に話が逸脱してしまいます。それを全部録音しておいて、今尾さんが鈴木さんの発言部分を抜いて、僕がした話だけ残して文字起こしする。それを僕が原形をとどめぬまでにリタッチして出来上がり、というプロセスです。

鈴木編集長の話にインスパイアされてその場で思いついて話したことが多いので、こうやってゲラになったものを読み返してみると、どうして「こんなこと」を言ったのか、よくわからないことも書かれていますが、「僕ならいかにも言いそうなこと」なので、そのまま採録しております。

トピックは政治経済から結婚や読書の感想まで多岐にわたっています。一回分全部を使って答える大ネタもあれば、にべもなく数行で回答しておしまいというものもあります。

タイトルは最終的に「コモンの再生」としました。

最初は違うタイトル案が提示されたのですけれど、全体を通して僕が一番言いたかったことは、やはり「それ」かなと思って、これにしました。

「コモン（common）」というのは形容詞としては「共通の、共同の、公共の、ふつうの、ありふれた」という意味ですけれど、名詞としては、「町や村の共有地、公有地、囲いのない草地や荒れ地」のことです。

昔はヨーロッパでも、日本でも、村落共同体はそういう「共有地」を持っていました。それを村人たちは共同で管理した。草原で牧畜したり、森の果樹やキノコを採取したり、湖や川で魚を採ったりしたのです。

ですから、コモンの管理のためには、「みんなが、いつでも、いつまでも使えるように」という気配りが必要になります。

コモンの価値というのは、そこが生み出すものの市場価値の算術的総和には尽くされません。そこで草を食べて育った牛の肉とか、採れた果実やキノコや、あるいは釣れた魚の市場価値を足したものがコモンの生み出す価値のすべてであるわけではありません。それよりはむしろ、「みんなが、いつでも、いつまでも使えるように」という気配りができる主体を立ち上げること、それ自体のうちにコモンの価値はあったのだと思います。

わかりにくい言い方をしてすみません。ちょっと問いの立て方を変えます。

「みんなが、いつでも、いつまでも使えるように」という気配りをする主体とは「誰」のことでしょう?

それは「私たち」です。そうですよね? 「私たちの共有するこのコモンを、私たちでたいせつにしてゆきましょう」という言明を発することのできる主体は「私たち」です。つまり、コモンの価値は、「私たち」という共同主観的な存在を、もっと踏み込んで言えば共同幻想を、立ち上げることにあった。「私たち」という語に、固有の重みと手応えを与えるための装置としてコモンは存在した。そう僕は思います。


資本主義的に考えたら、別に土地なんか共有しなくてもいいわけです。共有しない方がいい。共有して、共同管理するのなんて、手間暇がかかるばかりですから。使い方についてだって、いちいち集団的な合意形成が必要です。みんなが同意してくれないと、使い方を変えることもできない。

そういうのが面倒だという人が「共有しているから使い勝手が悪いんだよ。それよりは、みんなで均等に分割して、それぞれが好きに使ってもいいということにしよう」と言い出した。

実際に英国で近代になって起きた「囲い込み（enclosure）」というのは、この「コモンの私有化」のことでした。それが英国全土で起きた。その結果、私有地については、土地の生産性は上がりました。まあ、そうですよね。「オレの土地」なわけですから、必死に耕して、必死に作物を栽培し、費用対効果の高い使用法を工夫した。

資本主義的にはそれで正解だったんです。

でも、それと引き換えに、「私たち」と名乗る共同主観的な主体が消滅した。もともと共同幻想だったんですから、「そんなもの」消えても別に誰も困るまいと思った。ただ、気が付いたら、村落共同体というものが消滅してしまっていた。みんなが自分の金儲けに夢中になっているうちに、それまで集団的に共有し、維持していた祭礼や儀式や伝統芸能や生活文化が消えてしまった。相互扶助の仕組みもなくなってしまった。

そのうち、生産性の高い農業へのシフトに失敗した自営農たちが土地を失って、小作農に転落し、あるいは都市プロレタリアとなって流民化した。そうやって英国における農業革命、産業革命は達成されたのでした。資本主義的には、それで「めでたし・めでたし」なのですが、ともかくそのようにしてコモンは消滅した。

その後、「鉄鎖の他に失うべきものを持たない」都市プロレタリアの惨状を見るに見かねたカール・マルクスとフリードリヒ・エンゲルスによって「コモンの再生」が提言されることになりました。それが「共同体主義」すなわち「コミュニズム」です。

「共産主義」という訳語だと、僕たちにはぴんと来ません（日常生活に「共産」なんて普通名詞がありませんからね）。けれども、マルクスたちが「コミュニズム（Communism）」という術語を選んだときに念頭にあったのは、抽象的な概念ではなく、英国の「コモン」、フランスやイタリアの「コミューン（Commune）」という歴史的に実在した制度だったのです。

ですからもし、最初にマルクスを訳した人たちが「コミュニズム」を「共有主義」とか「共同体主義」とか「意訳」してくれたら、それから後の日本の左翼の歴史もちょっとは相貌が違っていたかも知れません。

僕がこの本で訴えている「コモンの再生」は、思想的には「囲い込み」に対するマルクスの「万国のプロレタリア、団結せよ」というアピールと軌を一にするものです。グローバル資本主義末期における、市民の原子化・砂粒化、血縁・地縁共同体の瓦解、相互扶助システムの不在という索漠たる現状を何とかするために、もう一度「私たち」を基礎づけようというのです。

ただ、僕はマルクスほどにスケールの大きいことを考えてはいません。僕が再生をめざしているコモンはずいぶんこぢんまりしたものです。かつて村落共同体が共有した草原や森、あるいはコミューンを構成していた教会と広場とか、その程度の規模のものです。いわば「ご近所」共同体です。

そんな構想に今どき歴史的緊急性があるのかどうか。それについては最後まで読んでからご判断ください。

ではまた「あとがき」でお会いしましょう。

コモンの再生　目次

Ⅱ　これからの政治を語ろう

Ⅲ 隗より始めよ

Ⅳ　ゆらぐ国際社会

初出：『ＧＱ　ＪＡＰＡＮ』２０１６年７月号〜２０２０年６月号
「内田樹の凱風時事問答舘」より編集、加筆・修正を行ったものです
（各項末尾の日付は「ＧＱ　ＪＡＰＡＮ」ウェブでの公開日です）。

コモンの再生

I　〝公共〟を再構築する

国家は市民が作った人工物である

Q：コロナ禍を受けて、各国が非常事態宣言を出しました。フランスやイギリスなど民主主義のお手本のような国まで「外出禁止令」を出し、移動の自由がこんなに簡単に制限されたことに驚きを禁じ得ません。２０２０年2月末に安倍首相が出した全国一斉の休校要請も最終判断は各自治体まかせで、その後も「外出の自粛の要請」だけでした。この差は危機感の違いでしょうか、それとも「行政」に対する考え方の違いなのでしょうか？

「お上」と「公共」の違い

日本と欧米では「国家」のとらえ方が違うからだと思います。日本人にとって政府は「お上」ですけれど、欧米では政府は「公共」です。

「お上」は文字通り天から降臨してきたものです。人民よりはるか前から存在し、人民が死滅しても永遠に存在し続ける。「お上」はそういう超歴史的な制度として観念されている。
でも、ヨーロッパの近代市民社会論における国家はそういうものではありません。ロックもホッブズも言っていることはだいたい同じで、それは国家というのは、人間が自分たちの問題を解決するために手作りした「装置」に他ならないということです。

彼らの説では、古代の人々は自己利益を最大化するために互いに争っていた。「万人の万人に対する戦い」です。でも、四六時中隣人と喉笛を掻き切り合って暮らしていたのでは、私権私財を安定的には守れない。夜もおちおち眠れないですからね。それより、一定の範囲で私権の制限を受け入れ、私有財産の一部をそこに供託することで「公共」を立ち上げて、そこに理非正邪の判定権限を委ね、必要があれば法を執行する強制力を与えようという話になった。

歴史的事実としてそんなことが本当にあったかどうかは知りません。けれども、とにかく「そういう話」を採用して、近代市民社会を基礎づけた。ですから、国家というのは市民が身銭を切って作った人工物であるということになっている。国家のやることに文句があったら「抵抗」したり「革命」したりする権利が保障されている。アメリカの独立宣言にも、フランスの人権宣言にもそう明記してあります。自分が手作りしたものですから、使い勝手が悪くなったら修繕して使い延ばす。当たり前のことです。

しかし、日本人はそういう考え方をしません。なにしろ市民革命の経験がないんですから仕方がありません。江戸時代の「うちの殿様」が明治になって「天皇陛下」にシフトして、敗戦のあと「アメリカ」にシフトしただけで、日本の市民たちは、かつて国家に抵抗したことも、革命したこともないんですから。自分自身の私権私財を自分の意志で抑制し、供出し、公共を立ち上げたという歴史的記憶がない。

もちろん、国は社会構築的な「つくりもの」だということを看破していた賢者はいました。福沢諭吉は「立国は私なり、公に非ざるなり」と言い切りましたけれど、残念ながらこのような国家観は広く人々に共有されたわけではありません。

日本人にとって「お上」は民の意志や生活と無関係にそこにいて、民を睥睨（へいげい）しています。それが日本人にとっての「自然」なんです。自分たちの日々の活動そのものが日々「公共」を基礎づけており、為政者は自分たちのために働く「公僕」であるという意識がわれわれにはありません。「公僕（public servant）」という言葉だけは知っていても、その言葉からイメージするものが何もない。とりあえず、僕はこの文字列を見ても、何も思い浮かびません。

議員や官僚が「公僕」でない以上、市民たちが「公民（citizen）」であるはずもない。そういう名前の社会科の教科があるそうですが、「公民」と聞いて、「ああ、あのことか」と得心するという人がどれだけいるでしょうか。この語も「公僕」と同じように、僕には何の具体的イメージももたらさない抽象語です。

「公民」というのは、あるときは身銭を切って政府を支える義務があり、あるときは立ち上がって政府に抗う権利があると思っている人のことですが、そういう発想そのものが僕たちにはない。そう教えられたこともない。「身銭を切って政府を支えろ」ということは言われたことがありますけれど「政府に抗う権利がある」ということを教えてもらった記憶はない。

実際に安倍内閣を「われわれが権限を委託した機関」だと思っている人は国民の10％もいないと思います。半分以上の国民は、「気が付いたらよく知らない人が首相になってて偉そうにしているけれど、権力者に逆らっちゃいけないんじゃないの……」とぼんやり思っている。

今回のコロナ禍は「センター入試」

言論の自由にしても、移動の自由にしても、欧米市民にとっては何世紀にもわたる市民の戦いの成果です。そういう市民的自由を獲得するために悪戦してきたわけですから、市民的自由を制限しなければならないと伝えるときに、ドイツのメルケル首相からはその痛みと悔しさが伝わってきます。

ニューヨークのクオモ州知事の「外出禁止令」のスピーチも迫力がありました。この措置から派生するすべての問題については「私が責任をとる（Blame me）」と言い切りました。あれこそ政治家が危機に際して語るべき言葉です。

ボリス・ジョンソン英国首相のスピーチも説得力がありました。僕は彼の政策は支持しませんが、簡にして要を得たこのスピーチは見事だと思いました。こういうときには、リーダーが「一言を重んじる人」だと思わせることが最も重要だということを彼はよく理解していました。

当初は見通しの甘かったアメリカのトランプ大統領も、途中で尻に火が点くと、景気刺激策として桁外れの予算を組みましたし、現金給付も決定しました。でも、感染症については嘘ばかり言っているので、国民からは信用されていません。

日本の首相の指導力と発信力はそのトランプよりもはるかに下です。痛ましいほど貧しい。「自粛の要請」を繰り返すだけで、「口は出すが、金は出さない。用を言いつけるが、その責任はとらない」という最悪のパターナリストぶりを露呈しています。

今回のコロナ禍は世界各国が受験している「センター入試」のようなものです。世界中の国が同時に同じ問題を解答することを迫られた。正解は誰も知りません。持てる限りの経験知を総動員して解くしかない。こういうときに「正味の国力」が明らかになる。

感染症対策の成功例はすぐに模倣されます。みごとな「水際作戦」を展開した台湾と「情報開示と検査と隔離」で抑え込んだ韓国の事例はすでに世界各国に参照されています。

中国は武漢を都市封鎖し、あっという間に病院を建て、人工呼吸器を増産し、「あんなことは強権的国家にしかできない」と羨ましがられている。感染を早めに抑えてからは医療資源をイタリアはじめ海外に送り出し、医療支援を一種の「外交カード」として巧みに利用しようとしている。その方がＡＩ軍拡や「一帯一路」への投資よりも国際社会における中国の地位向上に資することを習近平はわかっている。

ですから、「コロナ後」の世界では、アメリカの国際的威信は低下するでしょうが、中国の相対的プレゼンスは向上すると予測されます。「日本政府はみごとに感染症をハンドルしている」と政府は言いますが、それが本当なら世界のどこかの国が「日本のやり方でコロナを封じ込めよう」と言っているはずですが、残念ながらそんな国は一つもありません。

リスクの過小評価

日本の失敗は一にも二にも政府が「正常性バイアス」を病んでいたことです。世界的なパンデミックになる可能性が高いということがわかっていながら、危機を煽ると7月の五輪開催が危うくなるという理由から「なんでもないふり」をしていた。いかに感染の被害が軽微であるか、簡単に抑え込めるか、それをアナウンスすることに必死だった。

だから、感染地域からの入国者も五輪延期が決まるまで許したし、ダイヤモンド・プリンセス号からの下船者も（他国は検査陰性とわかっていても全員を2週間隔離しましたが）日本はそのまま公共交通機関で即日帰郷を許して、結果的に二次感染を招いた。

科学的根拠に基づいてではなく、「五輪を開催したい」という主観的願望に引きずられてパンデミックのリスクを過小評価した。

思い出すのは映画『ジョーズ』です。人食い鮫が出たことを警察署長が市長のところに報告して、海岸を出入り禁止にすることを進言するのですが、市長は「これから海開きでどっと観光客がやってくるのに、鮫が出たなんて公表したら客足が止まる。鮫の話はするな」と警戒令の発令を禁止します。その結果、海水浴客が次々鮫に食われる……という話でしたけれど、あれはパンデミックの寓話だと思います。

『ジョーズ』の市長は日本の首相、都知事、五輪組織委員会にそっくりです。目先の銭金欲しさにリスクを過小評価して、感染者を増やした。「そういうことをしたらいけないよ」という教訓を伝えるために古代から連綿と語り継がれてきた典型的な話型なんですけれど、そこで「やってはいけない」と教えられている通りのことをやってしまった。

とにかくコロナ禍が一段落したところで、どうしてここまで感染が拡大したのか、どうして政府の対策は「後手後手」に回ったのか、どうして兵站（へいたん）軽視、戦力の逐次投入という帝国陸軍の必敗パターンを踏襲したのかについて徹底的な反省がなされなければならないだろうと思います。

もちろん、「日本人はみんな被害者なんだから、そういう固いことは言わずに、慰め合おうじゃないか」という「一億総懺悔派」の人々が出てきて、必死になって問題をうやむやにしようとするでしょうけれども、それを許したら、同じ失敗をまた、次はもっと大規模にして繰り返すだけのことです。

これから二度と同様のパンデミックを起こさないためにやるべきことははっきりしています。感染症対策のセンター（日本版ＣＤＣ）を作ること、検査体制を拡充すること、人工呼吸器など医療資源を十分に用意すること、隔離施設を整備すること、政策決定プロセスに感染症とリスク・コミュニケーションの専門家を入れることなどなど。でも、たぶんどれも実現しないだろうと僕は思います。

医師に訊くと、感染症というのはあまり人気のない診療科なんだそうです。何年かに一度は命がけで働かせられるけれど、平時にはそれほど需要がない。単年度で見ると、医師も看護師も機材もあまり使われていないということがある。

そういうことが続くと、「コスパ」にうるさい政治家や官僚は「そんなセクターは要らない」と言い出す。ＣＤＣがいつまで経っても日本にできないのはたぶんそのせいです。目先の銭金のことにとらわれて巨視的な算盤がはじけない人が制度設計するとこういうことが起きるんです。

（２０２０年４月24日）

「コモンの再生」が始まる

Q：新型コロナウイルス危機で予測不明ながら、オリンピックの聖火リレーが一応２０２０年３月26日から始まることになっています。内田先生は今次のオリンピック開催に反対されていますが、１９６４年の東京オリンピックのときはどうだったんでしょうか？

「私有地につき立ち入り禁止」

１９６４年の東京五輪のときは日本をあげて盛り上がっていたと言われていますけれど、東京の子どもたちにとってはそうでもありませんでした。遊び場がなくなったからです。50年代までは、僕が住んでいた大田区の南西の多摩川べりの工場街でも、家の前には原っぱが広がっていました。「原っぱ」と言っても、それほど牧歌的なものではなく、空襲で焼かれた工場の跡地に雑草が生い茂っていただけの空き地です。雑草の下にはコンクリートの土台や焼けてねじまがった鉄筋やガラスの破片が散らばっていました。

もちろん土地には持ち主もいたはずですが、彼らはそこに何かを建てる気力も資力もなかった。だから、空き地のまま放置されていた。そこが子どもたちの遊び場でした。

子どもたちはそんな原っぱや神社の境内や防空壕や河川敷で遊んでいた。今思えばずいぶん危険な場所もありましたけれど、大人たちは自分たちの生活に必死でしたから、昼間子どもたちがどこで何をして遊んでいるかなんか気にしている余裕がなかった。

『ドラえもん』では、空き地に必ず土管が置いてありますが、あれはそこら中で下水道工事をしていた証拠です。もちろん、土管が置いてある原っぱだって誰かの私有地なんですけれども、地権者たちは子どもが遊んでも、土管が置かれても、あまりうるさいことを言わなかった。土地にさしたる価値があるなんて思ってなかったからです。

ところが東京オリンピックを前にして、話が変わりました。雑木林が切り倒され、池や小川が埋め立てられた。新しい道路がどんどん造られて、一気に地価が高騰した。それまで無価値に等しかった土地がけっこうな財産になった。そうすると地権者たちはいきなり空き地を鉄条網で囲い始めました。「私有地につき立ち入り禁止」と。

荻窪の祖父母の家の近くに、ちょっと風情のある雑木林があって、僕のお気に入りの散歩道だったんですけれど、あるとき、そこに行ったら雑木林そのものがなくなっていたということがありました。環八になっていたんです。あのときのショックはちょっと筆舌に尽くしがたい。

１９６４年の東京五輪は僕にとっては何よりも、それまで東京にも残されていた自然が破壊された経験でした。子どもが出入り自由だった「コモン（共有地）」が私有化され、鉄条網で囲い込まれた。

50年代の東京の庶民は、関川夏央さんの言うところの「共和的な貧しさ」のうちに安らいでいました。みんな貧乏だったけれども、お互いに助け合って暮らしていた。子どもたちはどの家にも出入り自由だったし、行けばおやつが出たし、テレビも見せてくれた。それが五輪の前後から、それまで低い垣根だけで隔てられていた隣家がブロック塀を立てて自宅を「囲い込む」ようになった。空き地の鉄条網と同じです。「私有地につき立ち入り禁止」になった。

それまでは土地も家も「コモン」だったんです。誰でも入ることができた。それが立ち入り禁止になったのは、「共和的な貧しさ」の時代が終わって、貧富の差が出てきたからです。

いずれみんな高度成長の恩恵でそれなりに豊かになるのですけれども、富裕化にも遅速の差がありました。だから、よそより早くにテレビや電気冷蔵庫や自家用車を買った家は地域社会の中から「浮いて」しまう。その人たちが羨望と嫉妬の「邪眼」を避けるために塀を作って、扉を閉ざしたのです。

ですから、東京五輪というのは、僕にとっては「遊び場がなくなったこと」と「隣家が鎖されたこと」という二つの出来事とともに記憶されています。

「ホームステッド法」と映画『シェーン』

「囲い込み（enclosure）」というのは、世界史で習ったと思います。その昔、英国の自営農たちは土地を共有して、共同管理していました。「共有地（コモン）」を牧草地にして牧畜をしたり、自生している果樹やキノコを採取したりしていた。でも、土地を共有していると「生産性が低い」ということを言い出した人がいた。「みんなのもの」だから、土地を活用して、お金を儲けようという気にならない。それはよろしくない。土地は私有化した方がいい。自分の土地だということになると、みんな必死になってそこから最大限の利益を引き出すように活用するに違いない。土地を有効利用しようと思うなら「共有」すべきではない、というのが「囲い込み」のロジックでした。

農民たちはそう言われたら「そうかな……」と思って、それに従いました。そして共有地制を廃して、大地主に売り払った。その結果、私有地では商業作物の大規模耕作が行われ、農業の近代化が進みました。でも、コモンを失った農民たちは没落して小作農になり、あるいはプロレタリア化して都市に流れ込みました。「鉄鎖の他に失うべきものを持たない」プロレタリアが大量発生したおかげで英国の産業革命は可能になったのでした。

アメリカのホームステッド法も「囲い込み」と歴史的意味は同じです。西部開拓に必要な移民労働力を集めるために、国有地に5年間定住して耕作すれば、64ヘクタールを無償で手に入れることができるというのがホームステッド法です。この法律は1840年代から部分的に施行されました。この法律に惹かれてヨーロッパから大量の移民が流れ込みました。本国では小作人でも、アメリカでは、一つ土地で5年間働けば自営農になれるんですから。そして、この施策が成功して、ヨーロッパから何百万という移民が新大陸に流れ込み、その労働力によって西部開拓が一気に進みました。

でも、ホームステッド法のせいで、西部のフロンティアに広がっていた、それまで誰のものでもなく、好きに往来し、好きに使ってよかった「コモン」が私有地になりました。ある日行ってみると、鉄条網が張り巡らされていて、そして持ち主が「オレの土地に足を踏み入れるな」と銃を突きつけた。

その混乱を描いたのが映画『シェーン』です。これは「コモン」での放牧権を求めるカウボーイと、「私有地」での農耕権を主張する農夫との戦いを描いた物語です。ご存じなかったかも知れませんけれど、「そういう話」なんです。

主人公のガンマン、シェーンは農夫の側に立つので、観客は「農夫がいい人で、カウボーイが悪者だ」と思って映画を見ますけれど、カウボーイ側から見ると話は逆です。ある日農夫たちがカウボーイたちが自由に行き来していた土地に侵入してきて、彼らの生業を脅したという話なんですから。

実際に、農夫の家に寄宿することになったシェーンが最初に命じられる仕事は農地の周りに鉄条網を張ることでした。「私有地につき立ち入り禁止」と。

だから、カウボーイが怒るのも無理はないと思うんです。彼らの方が先にこの土地に来たんですから。これまでさんざん苦労して、ようやく人間の住める場所にしたら、そこへ「よそもの」がぞろぞろとやって来て、「私有地につき立ち入り禁止」とはどういう了見じゃい、ということで殺し合いが始まる。

だから、意外に深い映画なんですよ、『シェーン』は。果たして土地は「コモン」なのか「私物」なのかという原理的な主題をめぐっているんですから。

たしかに、土地は共有して共同管理するより、個人が私有して使途を自由に考えた方が生産性は上がります。ただぼんやり広がっていただけの荒野が、農夫たちの努力で緑なす畑になるんですから。だから、資本主義的には「コモン」を廃して「私有地」に切り替えるのは当然なんです。「コモン」を私有地にすることが資本主義的には正解なんです。

だから、『シェーン』でも『拳銃無宿』でも『荒野の七人』でも、最後には農夫が勝って、流れ者は去ってゆく。でも、その自営農たちだって、数十年後の大恐慌の頃には彼らよりさらに土地を有効活用できる資本家たちに「囲い込まれて」、『怒りの葡萄』的なプロレタリアに没落するわけですけれど。

僕が64年の東京五輪で経験したのは近代日本における「囲い込み」だったんだと思います。子どもたちの可動域が一気に狭くなり、自由に行き来していた空間がなくなった。僕にとっての東京五輪は何よりも「コモンの喪失」として経験されたのです。

でも今、地方では「コモンの再生」が始まっているように思えます。高齢化、過疎化している土地ではもう土地や建物を私有財産としては維持しにくくなっているからです。無住の家なのだけれど私有財産なので手を出すことができない。そういう廃屋が建ち並んでいる。人が住まない家というのは、防犯上も防災上も公衆衛生上も非常に問題なのですけれど、所有者がわからない、連絡がつかないということになると自治体も勝手には処分できない。

そこで僕からの提案なんですけれど、「地方創生」を本気でやるつもりなら、いっそ「逆ホームステッド法」を作ったらどうかと思います。一定期間誰からも所有権の申し立てがない無住の土地家屋は公有とする。そして、今度はそこに住んで5年間生業を営んだ人に無償に近い値段で払い下げる。

土地って、本来私有すべきものじゃないと僕は思います。誰かが一定期間管理責任を負うのはいいけれど、土地は絶対に私物ではない。

アメリカの先住民には「土地所有」という概念がありませんでした。私有地という概念を持ち込んだのはロベール＝ガブリエル・ド・ラサールというフランス人の探検家です。

ラサールはモントリオールからミシシッピ川を下って、船からあたりを見渡して「この辺全部俺の土地だ」と宣言しました。そして、それをルイ14世に寄贈したので、そこが「ルイジアナ」と名づけられました。でも、それは今のルイジアナ州じゃありませんよ。五大湖からメキシコ湾まで、アパラチア山脈からロッキー山脈までの現在の合衆国の13州域にわたる土地です。そんなものを一人の人間が「船から見えたから、俺の土地だ」と宣言して、勝手に王様に寄贈するというような「ふざけた話」が許されるのでしょうか。

そのルイジアナも１８０３年のナポレオン戦争の戦費の不足を補うためにアメリカ合衆国に売却されました。代金は１５００万ドル、１平方キロメートル当たり14セントでした。これも「ふざけた話」です。

こういう「ふざけた話」を聴くと、土地が私有財産であるというのがまるっきりの虚構だということがしみじみわかります。ですから、土地の私的所有はもう止めませんか。


（２０２０年４月17日）

ベーシック・インカムを制度として成功させるには？

Q：2017年1月、フィンランドが2000人の失業者に対してベーシック・インカム、月に560ユーロ（約7万4000円）を支払う国家レベルの実験を始めました。5月にはマーク・ザッカーバーグが母校ハーバード大学の卒業式での講演で「ベーシック・インカムを導入し、みんなが新しいことに挑戦できるようにすべきです」と語ったそうです。すべての人に無条件で一定額を支給する制度がもし実現したとしたら、食うために仕事をする必要もなく、なにを生きがいにすればいいのでしょうか。

AIによる大量失業

技術革新はある種の産業を消滅させます。蒸気機関車の発明で馬車屋や馬具屋は仕事を失いましたし、エネルギーが石油ベースになれば石炭産業は壊滅的な打撃を受ける。何度も繰り返されたことですけれど、今差し迫っているＡＩによる大量失業の発生はそれとは少し事情が違います。予測ではＡＩの導入によって、雇用の30％が消滅するとも言われています。ただ、これまでの産業構造の変化と違うのは、それがきわめて広範囲に、短期間のうちに起きるということです。

それだけの労働者をいきなり路頭に迷わせるわけにはゆきません。別の職種への転換のための再教育にしても、それなりの時間はかかるし、その間の生活支援は行政が引き受けるしかない。しなければ社会が大混乱に陥る。

「ＡＩに取って代わられるような業種に就職したのは自己責任だ」と言って、かつて炭鉱労働者や自動車メーカーの労働者に対してしたような冷酷な切り捨て政策も、これだけの規模になると適用できません。してもいいけれど、生活保護制度が破綻し、消費は冷え込み、株は暴落、政府のガバナンスは低下して、治安は悪化……という末期的展開が確実に予測される以上、いくら強欲なウォール街のビジネスマンといえども今度ばかりは「国が税金を投じても失業者を救うべきだ（そうしないとアメリカ経済が終わり、自分たち自身が路頭に迷うかも知れないから）」と言い出した。まさかアメリカのエコノミストたちがベーシック・インカムについて真剣に議論する日が来るなんて僕は思ってもいませんでした。科学技術の進歩が資本主義経済の基盤を破壊しかねない規模の大量失業をもたらすというのは数年前まではたぶん誰も想像していなかった。

ベーシック・インカムは大量失業という危機的局面に対する対策としては合理的なものだと思います。「これしかない」とは思いませんけれど、一つの選択肢として吟味する価値はある。ただ、一つ大きな問題があります。それは「国に扶養される存在」というものがもたらすモラルハザードです。

日本でも生活保護受給者は「福祉のフリーライダー」だという激しいバッシングがありますけれど、これがなかなか鎮まらないのは、「公費で扶養されることに慣れて、労働する意欲を失った人間」というものが確かに存在するからです。

日本の生活保護の不正受給は金額レベルで0・4%、制度上は誤差の範囲に等しい数値に過ぎませんが、それにもかかわらず、生活保護受給者に対する攻撃が止まないのは「公費で扶養されることに慣れて労働する意欲を失った人間」に対する恐怖と嫌悪がそれだけ深いからだと思います。そして、まことに悩ましいことに、この恐怖と嫌悪には先例があるのです。

ビートルズとアンダークラス

イギリス国民は戦後1945年の選挙で世界大戦を勝利に導いた保守党のチャーチルを退け、労働党のアトリーに政権を委ねました。そして、「ゆりかごから墓場まで」と呼ばれた高福祉時代が始まります。この高福祉制度によって、それまでワーキングクラスの子どもたちにとっては無縁だった映画、演劇、音楽、美術、服飾、メディアといった業種への進出が可能になった。

ブレイディみかこさんの『子どもたちの階級闘争』によれば、ビートルズを頂点とする60年代イギリスの文化的百花繚乱は、高福祉制度によって、労働者階級の子どもたちがそれまではアクセスできなかった文化領域への進出が可能になったことの歴史的成果だそうです。これはイギリスの福祉制度の「サニーサイド」です。でも、同じ制度は「ダークサイド」も生み出した。それが「アンダークラス」です。

イギリスには伝統的にアッパークラス、ミドルクラス、ワーキングクラスという階級区分があります。しかし、高福祉制度とサッチャリズムはそのさらに下にアンダークラスという「カースト外」を作り出してしまった。

オーウェン・ジョーンズの『チャヴ　弱者を敵視する社会』には「アンダークラス」誕生の経緯が詳しく書いてあります。サッチャー時代の構造改革で炭鉱労働者はじめ大量の失業者が出ました。しかし、サッチャーは「社会などというものは存在しない」と公言し、社会的な成功も失敗もすべては自己責任であり、敗者が公的な支援を求めるのは不当だといって弱者切り捨てを進めました。富裕層を優遇し、貧困層に負担増を強いるこのサッチャリズムをなぜか多くの労働者は支持しました。労働者「階級」などというものは存在しない。存在するのは、向上心のある「よい」労働者と貧困に甘んじる「悪い」労働者だけだというサッチャーの思想に共鳴する「向上心のある」労働者たちが現実に大量に存在したのです。彼らは政府が貧しい労働者を切り捨てることを支持しました。サッチャー以後も、保守党・労働党のいずれの政権下でも、ワーキングクラスの分断は進行し続けました。そうやって切り捨てられた人々が「アンダークラス」と呼ばれます。

　イギリスの福祉制度は戦後すぐから今日まで「ばらまき」と「引き締め」を無原則に繰り返してきました。そこに政策的な一貫性を見ることはできません。でも、一つだけ確かなことがある。それは、この政策的ダッチロールの過程で、生活保護なしでは暮らしていけない最貧困層が差別と排除の対象となり、社会の底辺に吹き溜まり、閉ざされた集団と化したことです。

　祖父母の代から3代続いて生活保護受給者というような人たちの場合、彼らの周囲には就労経験のある人がもういません。「働いてお金を稼ぐ」ということの意味がよくわからない。だから、勤労者の常識を知らない。朝決まった時間に起きるとか、見苦しくない服装をするとか、人に会ったら挨拶するとか、そういう基本的なことさえ学習するチャンスがない。服装はジャージー、頭はスキンヘッド、全身にタトゥー、朝から酒を飲み、ドラッグをやり、就学せず、10代で子を産んでシングルマザーになる……そういう生活をしている人たちがある地域に集住している。そのような環境で育った子どもにはもう社会的上昇の機会はほとんどありません。でも、徒食と怠惰を許さないとして、生活保護を打ち切っても（実際に保守党のキャメロン首相の時代に生活保障費は大幅に削減されました）、彼らの就労意欲を活気づけることはできませんでした（就労したくても、その技能がないのですから）。そして、まっさきに社会福祉予算縮減の犠牲になったのは子どもたちでした。親たちに生活力のない家庭の子どもたちに給食や託児所での公的なケアが打ち切られたのです。子どもたちは社会的訓練の機会を奪われるどころか、餓死のリスクにさえさらされることになりました。

これがイギリスの戦後の福祉をめぐる現状です。社会福祉制度の効果というのは、その恩恵をこうむった世代のさらに子ども世代を見ないと、その成否がわかりません。戦後の高福祉制度はビートルズやストーンズやロンドン・ファッションを作り出した。サッチャリズムは「アンダークラス」を作り出した。でも、高福祉制度は財政破綻をもたらして国民の支持を失い、サッチャーの自己責任論は国民的に圧倒的に支持された。英国の有権者たちは自分たちに利益をもたらす政策を嫌い、自分たちをリスクにさらす政策を選好した。「貧困は自己責任だ」と言い放つということにはそれなりの爽快感があるということなのでしょう。そういう人は日本にもたくさんいます。自分自身がいつ貧困の境遇になるかわからないにもかかわらず、「貧困は自己責任だ。公費による扶養を許すな」と主張している人がたくさんいる。今の政権与党の支持者たちの多くはそうです。これまでその理由が僕にはよくわかりませんでしたが、『チャヴ』を読んで、「公費で扶養される人間」に対する嫌悪と憎悪というのは、国境を越えて根深いものだということを知りました。

ベーシック・インカムでは、最低限の生活は保障されます。財源も他を切り詰めればなんとか確保できるでしょう。でも、問題はその「あと」です。働かなくても食っていけるとわかったら、家でカウチポテトでテレビを見たり、ゲームをして一生を棒に振るのか、その時間を自己教育や創造的な活動に向けるのか、それは自己決定すべきことであって、政府がどうこうしろと命令することはできない。

でも、今の日本だと、「働かなくても食っていける」制度を整備したら、かなりの数の人は無為徒食の方向に崩れてゆくような気がします。というのは、多くの人が「生活保護受給者は遊んでいる」と罵倒しているからです。ということは、そう罵倒している彼ら自身が職を失って生活保護受給者になった場合、自分のこれまでの主張の正しさを証明するためには「ごろごろ無為徒食」してみせるしかありません。公費で扶養されて無為に過ごさないと、自分がこれまで主張していたことが間違っていたことになる。それでは困る。ですから、生活保護に反対し、「フリーライダーを許すな」と言っていた人たちは身を挺して「フリーライダー」になってみせないと首尾一貫しない。だから、きっとそうなると思います。英国の「アンダークラス」もあるいはそういう心理の働きの帰結なのかも知れません（よく知りませんが、ありそうな話です）。

ベーシック・インカムの運用の成否は制度設計の出来不出来によって決まるのではない。成否を決定するのは、個人の意思や努力ではなく、社会の開放性・流動性だと僕は思います。社会的流動性が高ければベーシック・インカムでも、他の社会福祉制度でも成功する。どれほど制度を精密に設計しても、社会的流動性が担保されていなければ、福祉制度は失敗する。僕はそう思っています。

福祉制度で社会的弱者を保護するのは、それ自体は「よいこと」です。でも、福祉による恩恵を受益している代償として、「公金で養われていることに屈辱感を覚えること」を制度的に強制されるのだとしたら、そんな制度は機能しない。そんな制度はない方がましです。僕はそう思います。

社会的流動性の乏しい社会では、福祉制度はただの「施し」にしかならない。「施し」を受ける人たちは、その代償として、最下層での屈辱的なポジションにとどまることを強いられる。彼らは、福祉の受益者であることの代償として、向上心や勤労意欲そのものを剝奪される。そのことは英国の事例が教えてくれています。

「アンダークラス」が固定化するのは、社会の側に彼らの社会的上昇を許さない排除の力が働いているからです。そして、それと同時に、「アンダークラス」自身の側にも、その地位にしがみつく「意地」のようなものが働く。排除する側と、排除される側の両方が、分断されていることに同意している。それでは社会的流動性が高まるはずがありません。

この硬直したシステムの解除を個人の努力に求めるのは無理です。そんなことを個人で達成できるはずがない。社会制度そのものを変えてゆかなくてはならない。

それは社会福祉制度において、公費による扶助を受けている人に決して屈辱感を与えてはならないということです。でも、実際に福祉制度の実施に際して、受益者は屈辱感を覚えるべきだ、「施し」を受けていることを恥じるべきだと思っている人、そう公言する人は少なくありません。でも、そんなことを許したら福祉制度はその本来の趣旨から逸脱してしまう。福祉制度は次の世代にチャンスを与えるものでなければならない。

その制度があったおかげで、「次の世代」の人々が、親の世代が受けることのできなかった学校教育を受けたり、親の世代には無縁だった楽器や絵筆やコンピュータや芸事やスポーツにアクセスできるようになったり、親の世代には扉が塞がれていた業界に参入したりできるようになること、それこそが社会福祉制度の本旨だと僕は思います。二世代がかりで成果を考量する制度だと思います。

社会的流動性を高めるためにこそ社会福祉制度はあるべきです。だから、公的扶養の代償として「恥じ入れ」「身の程を知れ」「お前がいま釘付けになっている最下層から出るな」ということを受給者に求めるなら、ろくな制度じゃないと僕は申し上げているのです。

ベーシック・インカムが制度として成功するかどうかを決めるのは制度そのものの合理

性ではありません。その制度を導入する社会そのものがどれほど開放的か、どれほど流動的か、どれほど他者に対して寛容か、どれほど温かいか、それにかかっていると思います。

21世紀の「ランティエ」になれ

ベーシック・インカムのもたらす社会的影響を考えるときに一つ参考になるのはヨーロッパ近代における「ランティエ（金利生活者）」の存在です。

あまり知られていないことですが、ヨーロッパでは17世紀から20世紀の初めまで、250年近く貨幣価値の大きな変動がありませんでした。ですから、3、4代前の祖先が買った石造りの家に住み、伝来の家具什器（じゅうき）を使っていれば、遺産の公債国債の金利だけで一生働かずに暮らすことができた。「高等遊民」というやつです。それなりの教育を受け、教養もあり、小銭とありあまる暇があるというのが「ランティエ」です。

彼らが同時代の新しい芸術運動や学術や冒険の最大の支援者であり、実行者でした。面白い芝居がかかっていると聞けば見に行く。才能ある詩人が登場したと聞けば朗読会を企画する。新しい哲学が出てきたと聞けば夜を徹して議論する。極地探検に行くという話も、暗黒大陸に行くという話も、成層圏に気球で昇るという話も、真っ先に食いつくのはこの「ランティエ」たちでした。何しろ暇で、小銭があって、新しもの好きなんですから、何にでも飛びつく。

『緋色の研究』のシャーロック・ホームズも、『盗まれた手紙』のオーギュスト・デュパンも、『さかしま』のデゼッサントも、誰ひとり生活のためには働いていません。近代ヨーロッパの文芸と学術を支えたのはこの「旦那衆」です。ランティエ抜きにヨーロッパの近代の知性の歴史を語ることはできません。

でも、このランティエという集団は第一次世界大戦勃発と同時に消滅しました。貨幣価値が一気に下がり、「金利で暮らす」という生活が不可能になったからです。大戦間期のヨーロッパの文学と哲学があれほど暗鬱で、「不安」と「危機」の話ばかりしているのは、ランティエの消滅と関係があると僕は思っています。だって、文学と哲学の担い手であったランティエたち、「暇で、小銭があって、一生好きなことをして暮らせた好事家(こうずか)たち」がそういう暮らしができなくなり、没落し、窮迫し、ついに生活のために安月給の俸給生活者になるしかなかったんですから。その怒りと悲しみはいかばかりだったでしょう。

ベーシック・インカムについての僕からの提案は、できれば受給者たちの一部がそれによって「21世紀のランティエ」になってくれることです。お金はまあ生活するぎりぎりしかないけれど、暇と好奇心と冒険心だけは売る程あるという人たちがそれなりの頭数存在することは、社会を風通しのよいものにする上ではたいへんに有効です。彼らが社会にもたらす「プラス」が、制度に依存して無為徒食するだけで何もしない人たちのもたらす

「マイナス」より少しでも大きければ、それは制度の成功だと判断してよいと僕は思います。

（2017年11月24日）

本当に必要な政策は「教育の全部無償化」

Q：政府によると、2020年4月から「高等教育の無償化」が始まり、（家族4人世帯で）年収270万円未満の住民税非課税世帯は実質、授業料が無料になります。とはいえ、年収380万円以上の世帯は対象外で、かつ国立大学の授業料・入学金の減免措置から外されることになり、「高等教育の無償化」の恩恵にあずかるのはごく一部のようです。フランスは大学まで学費が無料ということで有名ですが、なぜ日本はホントの意味での「高等教育の無償化」ができないのでしょうか？

大学の授業料は安かった

高等教育の無償化は日本の未来のためにはぜひとも必要な政策だと思います。でも、今度のような部分的な手直しを安易に「無償化」と呼ぶのは止めてほしい。ヴォリュームゾーンである年収400万円台は手つかずですし、支給と引き換えに大学に対して「実務家を教員に採用しろ」というような条件までつけている。申請にあれこれ条件をつけることなんかしないで、あっさり全部無償化したらどうです。

昔は大学の授業料は本当に安かったです。僕が入学した1970年、国立大学の授業料は年額1万2000円でした。月1000円です。入学金が4000円、半期授業料6000円でしたから、1万円札を窓口に出すと大学生になれた。

たしかに当時と今とでは物価が違いますけれど、それでも僕が大学1年のときの学習塾のバイトが時給500円でしたから、2時間バイトすると、月謝が払えた。ですから、国公立大学なら、親からの仕送りなしで苦学ができました。私立大学でも年額10万ぐらいでしたから、バイト仲間では苦学どころか、親に仕送りしていた学生さえいました。

でも、この「苦学できる」というシステムそのものが実は秩序壊乱的な要素をはらんでいました。60年代末から全国で学園闘争があれほど広がった理由の一つは、学生たちのふるまいを親たちがコントロールできなかったことにあります。だって、苦学できたから。親が子どもの生き方にあれこれ干渉してきたら「じゃあ、いいよ。授業料自分で出すから、もう口出すな」と啖呵を切ることができた。だいたい地方出身者は親元に帰るのは盆と正月くらいで、子どもたちが大学で何をしているか、親には知る術もなかった。

だから、学園闘争が終息した後に政府部内でも「どうやって学生たちをこれから抑え込むか？」について知恵を絞ったのは当然なんです。そして、そのときに二つアイディアが出た。

一つはキャンパスを郊外に移転すること。「神田カルチェ・ラタン」と呼ばれたお茶の水界隈には大学が軒を並べていました。学生たちはキャンパスに自由に出入りして、教室や部室を活動拠点にできた。だから、学生運動を再燃させないためには、学生たちを地理的に分断し、キャンパスに自由に出入りさせないことが必須だった。その秘策が郊外移転です。人気のない郊外に鉄筋の高層ビルを建てて、学生を閉じ込め、カードで出入りを監視するようにした。

そして、もう一つが授業料値上げです。70年代前半に国立大学の授業料が3倍に引き上げられました。別に値上げする財政的必然性なんかなかったんです。だって、まさに高度成長期まっさかりで、政府にはじゃんじゃん税金が入ってきた時代なんですから。国立大学の授業料を月額1000円から3000円に上げるような財政的必要はどこにもなかった。

学生の自由を奪うための値上げ

でも、これは国家財政の問題じゃなかったんです。親の懐を直撃するためだったんです。そのあとも授業料は引き上げ続けられ、今は国立大学の授業料は54万円、入学金は28万円です。これは非正規雇用で年収３００万、４００万円台の親には痛い出費です。子どもだってそうです。80万円の入学資金なんか高校生に用意できるはずがありませんから、大学に入りたいなら、親に出してもらうしかない。月々の月謝が５万円だと、時給１０００円のバイトを50時間しないと払えない。僕が学生の頃は月２時間のバイトで月謝が払えたんですから、大学に行くための労働時間が25倍になったわけです。これじゃ、とても「苦学」なんかできるはずがない。

だから、授業料値上げによって変わったことが二つあったのです。

一つは受験生の進路決定権が完全に親に握られたこと。１万円で国公立に入学できる時代なら、どこの大学のどこの学部に行くか、親と意見が違っても、子どもが自己決定できた。「だったら、いいよ。自分で金出すから」と言えたからです。１万円ならお年玉貯めた豚の貯金箱を叩き割れば出てくる金額です。授業料が上がるにつれて、しだいに「そういうこと」ができなくなった。

もう一つは学生たちへの監視が強化されたこと。親たちは相当額の「教育投資」を強いられたわけですから、それを回収しようと考える。そして、子どもたちの暮らしぶりをうるさく監視するようになった。ちゃんと勉強しているのか、単位は取れているのか、４年で卒業できるのか、離れていても子どもの暮らしぶりを気にするようになった。

授業料値上げがめざしていたのは一言で言えば「学生たちから大学生活における自己決

定権を奪う」というものでした。数十万人の学生たち一人ひとりを監視することは大学にも政府にもできません。そんなマンパワーはない。でも、授業料を大幅に値上げしたら、学生たちの監視を親たちが代行してくれる。授業料値上げで政府は学生管理をアウトソーシングしたのです。そうすることで管理コストを劇的に軽減した。当時の文部省にはなかなか知恵者がいたわけです。

ですから、今でも国が授業料の金額を決定するときの基準は「学生たちが必死にバイトしても払い切れないが、親が無理をすればなんとか出せるくらい」だと思います。そうすれば18歳時点で子どもたちは「それがどんな理不尽なものでも、金主である親の言いつけに従わないと進学できない」という人生最初の決定的な敗北感を味わうことになる。そうやって「長いものには巻かれろ」「金のあるやつには勝てない」という処世訓を叩きこまれる。国としては、そういう面倒な国民馴致（じゅんち）の業務を親に代行してもらえるのですから、大助かりです。

そうやって日本政府は学生管理にみごとに成功して、大学は政治活動の拠点ではなくなりました。でも、同時にそのせいで日本の大学の学術的生産性も劇的に低下することになった。当たり前ですよね。だって、苦学できなくなったから。

苦学するというのは、要するに、親や先生や周りの人間たちが口を揃えて「そんな大学のそんな学科に行くな」と言っても、それに従わないで自分のしたい学問をすることです。

苦学できた時代には、僕たちは自分の行きたい学科を選ぶことができた。もちろん、親たちはその頃も今と同じで「実学」を子どもに求めました。でも、子どもたちはそれを聞かないことができた。「哲学がやりたい」とか「映画を作りたい」とか「天文学がやりたい」とか「シュメール語がやりたい」とか、全然お金になりそうもない非実学分野にふらふらとさまよい込んだ。子どもってそういうものですからね。

大学の授業料が無償だったら

でも、「教育投資した授業料を確実かつ迅速に回収したい」というような「金主」の金勘定に制約されることなしに大学で好きなことが勉強できたというのは、本当にありがたいことだったと思います。

僕の場合、親は「法学部に行ってほしい」と思っていましたが、僕は文学部フランス文学科というぜんぜん実学じゃない専門分野に進学してしまった。でも、そういう無謀な選択が平気でできたのは、親が反対しても自分で授業料を払うことができたからです。

今はそれがもうできません。だから、いきおい大学生の相当数は「不本意入学」になる。そんな大学のそんな学部に本当は行きたくなかったけれど、そこじゃないと「金を出さない」と親が言うから、しかたなしに入学した。

でも、こういう「恨み」は根が深いですよ。子どもが不本意入学を強いた親に「進路選択を誤った」ことを思い知らせるための一番有効な方法は「ああ、金をどぶに捨てた」と親に後悔をさせることです。だから、毎日不機嫌な顔で大学に通い、成績は最低レベル、卒業したけれど、何一つ知識も技能も見識も身につかなかった……という事実を親に見せつけることが不本意入学生に許された最も効果的な報復なんです。だから、子どもたちは現にそうしている。

いま、日本の大学の授業料がどこもすべて本当に無償だったら、子どもたちはみんなそれぞれ好きな専門分野を選ぶはずです。無償化の最初の受益者は「好きな学問ができる」子どもです。でも、それだけではありません。日本社会そのものが受益者になる。

もちろん、授業料が無償でも、親や教師は苦い顔をして「そんなことやっても食えないぞ」というような忠告はするでしょう。でも、子どもたちはそれに抗って自分が行きたい分野を選ぶ。その場合、子どもたちが親や教師の反対を振り切った自分の選択が正しかったことを証明する方法は一つしかありません。それは、毎日機嫌よく大学に通い、よい成績を取り、専門的な知識や技術を身につけて、「ほら、ここに入学して正解だったでしょ？」と胸を張ってみせることです。

そういうものなんですよ。

今の学生たちがぜんぜん勉強しないのは、怠慢や気の緩みじゃないんです。勉強しないように努力しているんです。親に人生を決められたことへの恨みを晴らすために。もちろん無意識にやっていることですから、本人だってそう言われたらびっくりするでしょうけれどね。

だから、僕は大学には本当に無償化してほしいと思います。その結果、何十万人という若者たちが「そんなことやったって、食えないぜ」という呪いの言葉を吐きかけた人たちに対して、自分の選択の正しさを証明するために「いつか見てろよ」と必死で勉強するようになる。それによって日本の集団的な知的パフォーマンスは一気に向上するはずです。ここまで国運が衰退した日本をV字回復させる起死回生の方法は「学校教育の全部無償化」です。僕はそう声を大にして申し上げたいですね。

（2020年3月20日）

なぜ日本社会では出る釘は打たれるのか？

Q：大坂なおみ選手やサニブラウン・ハキーム選手などの活躍が最近目立っていますが、報道での「日本人選手」という言葉に違和感を覚える人もいるといいます。「日本人」の概念というかイメージが広くなっていることを、どう受け止めたらいいでしょうか。

「日本人」の決定的な定義はない

「日本人」の概念を拡大するということになら僕は大賛成です。先祖はいろいろ違うけれど、日本人の血が少しでも流れているなら、あるいは日本人の血なんか流れてないけど日本に暮らしたくて国籍を取得したのなら、その人は「同胞」です。そうやって受け入れるというオープンマインデッドな態度なら僕は支持します。

今、サニブラウンさんはフロリダ大学に通っていて、アメリカで活動しているし、大坂さんも4歳からずっとアメリカ暮らしで、二重国籍ですよね。そういう人のことを「日本人アスリート」と呼ぶのが「日本人」の定義をゆるく解釈しているということなら、僕はいいことだと思います。それくらい定義をゆるめたら、「日本人」は世界で何億人かに増えるんじゃないですか。「同胞」がそれだけ増えるなら僕はうれしい。

でも、大坂さんやサニブラウンさんを「日本人」と呼ぶのに、日本に戦前から三～四世代にわたって暮らしていて、日本人と婚姻関係にあっても朝鮮半島出身者たちのことを多くの人はいまだに「在日」と呼んで「日本人」とは別枠で扱っている。これはいささか日本人定義について恣意的に過ぎるんじゃないですか。さきの天皇陛下だって、桓武天皇の生母は百済の王族の子孫だってはっきりおっしゃってるじゃないですか。

「日本列島」という「場所」は昔からありましたけれど、「日本」という国は歴史的な形成物です。時代が移り、国境線が変わるごとに「日本人」は変わる。縄文時代には「日本列島住民」はいても、「日本人」はいません。蝦夷とか隼人とかは間違いなく日本列島住民ですけれど、大和朝廷の人たちからは「日本人」認定されていなかった。近代の植民地支配時代でもそうです。当時の朝鮮や台湾の住民は「日本人」でしたけれど、戦争が終わったら、そうではなくなった。「ナントカ人」というのは決定的な定義がないんです。歴史的条件が変わるごとに変わる。それだったら、はじめから「ゆるめ」に設定しておいた方が面倒がないじゃないと僕は思います。

キアヌ・リーブスは、父がハワイ出身のアメリカ人、祖母は中国系ハワイアン、母はイングランド人、本人の生地はレバノンで、国籍はカナダです。それらの国々の人たちがみんな「キアヌはうちの子」だと思っている方が、どれか一つに決めるよりずっといいことだと僕は思いますけどね。

（2019年11月6日）

Q：タイガー・ウッズは2009年に不倫スキャンダルと交通事故を起こし、2017年には腰のけがへの投薬による酩酊のために運転マナー違反で逮捕されるなど、どん底まで落ちました。ところが、その翌年に本格復帰してツアー選手権で5年ぶりの優勝を飾ったら、グリーンでタイガー・コールが起きるぐらいアメリカのファンはその健闘を称えました。一方、最近の日本では人がなにか失敗すると奈落の底まで叩き落として、復活なんか絶対に許さない雰囲気があるように感じます。いつから日本人はこんな感じなのでしょうか。

「出る釘」か「エリート」か

どうしてなんでしょうね。卓越したパフォーマンスを実現した人を見て「人間にはこれだけのことができるんだ。すごいなあ」というふうに、人間の可能性について楽観的になれるというのはとてもたいせつなことだと思います。でも、日本社会はそういうふうに際立って抜きん出た人が出てくると、なぜか「足を引っ張る」。「出る釘は打たれる」というのがデフォルトになっている。

でも、英国やフランスのように「エリート」を組織的に育成している階層社会では事情が違ってきます。というのは、そういう国では、「エリート」集団が国民を代表して、卓越したパフォーマンスを達成して、「世界標準」を創出したら、全国民がその恩沢に浴することができる……という考え方をします。そうやって階層の存在を正当化している。

でも、日本は違います。日本で「エリート」と言ったら、高い地位にいて、権力・財貨・文化資本を享受して、「いい思いをしている」人たちのことです。この人たちは別に日本人を代表して、「世界標準」を創出して、非エリートたちに余沢を施すことを「ノブレス」の責務だと思ってなんかいません。

新たな「世界標準」を創り出すことができる人のことを「天才」と呼ぶのだと僕は思います。彼らが人類に豊かな贈り物をしてきて、僕たちはその恩恵をこうむってきた。だから、それほど才能のない人たちは、才能のある人をやっかんだり、足を引っ張ったりする暇があったら、その人たちがのびやかに才能を発揮できるように支援すべきだと僕は思います。どう考えても、その方が集団的な生存戦略としては効率がいいんですから。

芸術の世界では「パトロネージュ」というものがあります。メディチ家のような桁外れのお金持ちが才能のある若者を見出して、創作活動に専念できるように保護する。ダ・ヴィンチもミケランジェロもシェイクスピアもモーツァルトにもパトロンがいました。彼らがこの世界にもたらした「よきもの」については芸術家ご本人だけでなく、その支援者にも僕たちは感謝するべきだと思います。

日本も松平不昧公とか前田斉泰とか殿様が芸能の保護者になるという美風がかつてはありました。でも、現代日本では個人としてのパトロンはまず見ることがありません。今は行政が芸術の助成を行います。

でも、申し訳ないけど、公的助成では「世界標準」を新たに制定できるような尖ったクリエイティヴな才能を支援することはできないと僕は思います。当代に比肩するものがないから「天才」なのであって、そこに巨額の贈与をすることは、自分の鑑定に身体を張れる人にしかできません。行政の場合、助成金の原資は税金ですから、査定を間違えて「天才だと思ったら、スカでした」では済みません。しかたなく、「万人受けする凡庸な才能」に公的資金がばら撒かれることになる。それでは天才は育たない。

パトロネージュというのは本来身銭を切ってやるものなんです。だから、本当は公金でやるものじゃない。でも、今の日本の大富豪の中には、自分の個人的な趣味の良さや鑑定眼に基づいて、異才を見出して支援できるほどの「目利き」がいない。日本の文化的発信力が衰えた理由の一つはこの「目利き」の消滅でしょう。

お話に出たタイガー・ウッズについて言えば、アメリカ人は「一度転落したヒーローが奇跡的に復活する」というストーリーが大好きなんです。

『レスラー』というミッキー・ローク主演のプロレス映画がありましたね。ローク自身がハリウッドスターとして一度は栄光の頂点を極めておきながら、ほとんどホームレス寸前にまで転落した。それをシルベスター・スタローンが救い上げて、再びスターへの道を歩み出したわけですけれど、自身の栄光と転落をそのままなぞったようなプロレスラーの話をロークが楽しそうに演じてました。そういえば、スタローンの『ロッキー3』も「そういう話」でしたね。ジョン・ウォーターズ監督率いる「ドリームランダーズ」のメンバーにリッキー・レイクという女優さんがいます。『ヘアスプレー』でブレークした後に、女優として芽が出ず、やっぱりホームレスにまで転落した後、ダイエットに成功して、自分の名前を冠したテレビ・ショーをやるところまで復活した。ドリュー・バリモアは子役で有名になった後、小学生の頃から嗜癖(しへき)していた飲酒喫煙麻薬で身を持ち崩しましたけれど、その後リハビリで復活。ロバート・ダウニー・ジュニアも子役出身で、小さい頃に麻薬を覚えて、薬物中毒で何度も逮捕されましたが、『アイアンマン』で復活。

というように、ハリウッドは順風満帆でぐいぐいのし上がった人よりも、一度地獄を見て、そこからはい上がってきた人に対して好意的みたいです。

でも、日本ではこれに類する話はあまり聞きませんね。一度栄光の座から転落した人間にはなかなか復活の道が開かれない。理由の一つは、最初に多少「下駄を履かせて」スターを作っているからなんだと思います。それほど才能のない人を「すごいすごい」と持ち上げて、内心ではそのうち「高転び」すると思っている。そして、実際に転んだときに、その醜態を見て溜飲を下げる。「水に落ちた犬を叩く」というのは日本では娯楽としてかなり定着しているんじゃないでしょうか。「出る釘は打たれる」と一対ですね。

「旦那」と「青年」という社会層

日本にもパトロネージュの伝統はなかったわけじゃないんです。伝統芸能を支えてきたのは「旦那」たちでした。義太夫とか謡曲とかを支えていたのはお稽古事好きの旦那たちなんです。落語『寝床』の義太夫のようなもので、とても人にお見せするほどのものじゃないんだけれど、それでも師匠について少しでも芸事を習っていると、そこそこの「目利き」にはなります。玄人の芸を見て、それがどれくらいすごいものかはわかる。至芸を見ると鳥肌が立つというくらいのことはできる。この「玄人のすごさがわかる半玄人」の分厚い層があってはじめて伝統芸能は生き残れる。一人の玄人が食ってゆくためには、その数十倍の素人が芸事を習って、そこそこの「目利き」になっておく必要があるんです。

戦後になって「旦那」たちが消えたのとほぼ同時期に消えた社会階層があります。「青年」です。青年というのは歴史的な形成物なんです。明治40年頃に時代の要請に応えて人為的に創り出されたものです。

明治維新から後、日本人は近代化のために必死で西欧の真似をしてきました。なんとか日露戦争勝利で世界の強国の仲間入りができそうになった。でも、その当時の日本の手持ちのものは全部が西欧の「物まね」でした。オリジナルなものがない。でも、今後列強に伍して、ということになると、どんな分野でもいいから「自力で制定した世界標準」が必要になります。世界の一等国でありたければ、どんな分野でもいいから「日本オリジナル」の制度文物を世界が模倣するということが必須になる。それだけは輸入品でまかなうことができない。

その時代的要請に応えて「発明」されたのが「青年」という社会層なんです。

明治も40年ですから、西欧文明には生まれたときからなじんでいる。横文字も読めるし、西欧の新思潮にも通じている。それと同時に、維新の世代が弊履（へいり）のごとく捨てた前近代の日本文化にも親しみを感じている。近代と前近代、西欧と日本の「汽水域」みたいなところに棲息している人間、それが青年です。彼らなら「近代的であり、かつ日本的である」ものを創り出せるんじゃないか、そう考えたわけです。

夏目漱石の『三四郎』と森鷗外の『青年』はほぼ同時期に書かれました。いずれも青年とはどういうものかを文学的虚構を通じて造型したものです。清潔で、初々しく、理想主義的だけれど、自分の意思を実現できる程度の社会的実力はある。少年と大人の「なかほど」にいるこの青年が近代日本を牽引することになる、漱石と鷗外はそう予測して、そのためのロールモデルを造型してみせたのです。

ですから、この時代から後、日本の文学や映画の主人公はほとんど青年たちによって占められていました。その「青年の時代」が終わるのが、１９６０年代です。東京オリンピックの頃です。当時の映画で石原裕次郎や加山雄三が演じた若者が「最後の青年」だったと思います。

歴史的使命を終えて、青年がいなくなると同時に旦那もいなくなった。それは男性にとっての成熟のための自己造型のロールモデルがなくなったということを意味しています。例えば、60年安保と70年安保を見比べると、学生の相貌が違うことがわかります。60年安保闘争を担ったのは「青年」たちでした。70年安保は「少年」たちの政治闘争です。年齢は同じでも、一方は青年で、他方は少年です。青年たちは、この社会システムを壊したあとに、どんな社会を作るのかについて、夢想的ではあれ一応考えていました。でも、僕らの世代は何の展望も持っていなかった。壊すことには熱心でしたけれど、それに代替すべき統治機構の設計なんか考えもしませんでした。わずか10年間で、政治闘争のフロントラインが青年から少年に変わった。60年代中ほどに何か決定的な転換点があったんだと思います。

それ以後、「日本は理想主義的で、行動力のある青年」もいないし、「目利きの旦那」もいない国になってしまった。少年が青年を経て、壮年、老年へと段階的に成熟してゆくことがなくなり、「子ども」が「青年」を飛ばしていきなり「おじさん」になる。だから、今の「おじさん」「おじいさん」たちはほとんど中身は「子ども」なんです。

（2019年2月14日）

ニッポンの「治療」は始まっている

Q：日産、スバルで無資格のひとが検査していたり、神戸製鋼とか三菱マテリアルが製品の一部データを改ざんしたり……と、一流メーカーの不祥事が次々と明るみに出て、いよいよ日本が壊れてきている実感があります。２０１７年12月には新幹線「のぞみ34号」の台車にヒビが入っていて、あと３センチで大事故になったかもという騒動もありました。せめて自分の身のまわりだけでも安全にしておきたいのですが、なにかよい方法はないでしょうか。

安全文化が危険水域に

新幹線は本当に危険な話でしたね。博多を出て、小倉で異音異臭がして、岡山で保安担当者が乗り込んできて、停車して点検するように言ったのに、総合指令所はそれを無視して、結局名古屋まで走り続けた。この事例はＪＲの安全文化がかなり危険水域に入っていることを示していると思います。

新幹線を停めることによって生じるデメリットというのは、ダイヤが乱れるとか特急料金を払い戻すとか代替交通機関を用意するとか、いずれにせよ予測可能・計測可能な被害です。でも、もし危険を知りながら走らせて事故を起こした場合、脱線したり、車両が壊れたり、線路が壊れたり、死傷者が出た場合、それによって生じる損害は桁外れの、予測不能の規模のものになる。1964年から53年間無事故という新幹線の安全神話そのものが崩れる。事故が起きたときに失うものの大きさを考えたら、停車して点検するくらいのことから生じるロスなど比較にならないほど軽微なものです。でも、なぜか現場ではその比較ができなかった。目先のダイヤ通りの運行を優先して、JRが破滅するくらいのリスクを見逃した。リスク管理がどうこう言う以前に、ふつうに「算盤」を弾いたら子どもでも下せる判断をJRができなくなっているということに僕は危機的兆候を感じます。

上下水道とか交通網とか通信網とかの基本的な社会的インフラはとにかく安定的に運転することが最優先します。採算とか効率とかは基礎的社会的インフラの管理運営においては副次的なことに過ぎません。とにかく安定的に機能しなくなったらたいへんな被害が生じるわけですから。

にもかかわらず、今回の新幹線トラブルでは目先の定時運行をシステムそのものの保全より優先させた。このような「目先の損得にこだわって巨大なリスクを看過する」という傾向が今、日本中の組織を侵しています。

日産もスバルも三菱マテリアルも神戸製鋼も、目先の納期やコスト削減にこだわって、営々として築き上げてきたブランド・イメージに取り返しのつかない傷をつけてしまいました。東芝は上場廃止になると騒がれていたし、神戸製鋼もクライアントの信頼を回復しなければならない。守るべき規則を守らず、コストを惜しんだ結果、企業本体が経営危機に陥るというのは、どう考えても「間尺に合わない」話です。でも、今時の経営者たちはこの「間尺に合わない」という考え方そのものが苦手なようです。

「間尺」というのは要するに「時間意識」のことです。どれくらいのタイムスパンでことの損得を計算するか、その長短で適否の判断は変わります。10時間で測る人と10年で測る人では判断が逆転することもある。余命いくばくもない人が不健康な生活をしているのを見て「そんなことを続けていると早死にするよ」と説教してもさっぱり応えない。それは「今気分が良ければ、先のことなんか知るかよ」という判断の方に理があるからです。

日本の組織は今それに近い感じです。「今気分が良ければ、先のことなんか知るかよ」という気分に覆われて、長期的な利害について思量する想像力を失ってしまった。それはたぶんさまざまな組織の人たちが「余命いくばくもない」ということを無意識のうちに感じ取っているからだと思います。

毎年韓国に行っていますが、仁川（インチョン）や釜山（プサン）から関空に戻ってくると、空港に着いた瞬間に「日本にはもう勢いがない」ということが実感されます。なんとなく薄暗く、さびれている。アジアのハブ空港はいつの間にか成田から仁川に変わりました。欧米に行く場合も来る場合も、まず仁川に行って、そこから直行便に乗る方が今では便利です。それだけ成田・関空への直行便が減った。

こういうのはまことにあからさまに、にべもなく国力の衰微を表します。国そのものが「落ち目」の方向に向かって、ずるずると坂道を下っている。

「ありもの」をていねいに

国力の消長というのはあらゆる国の宿命ですから、それは仕方がないんです。日本の場合は超少子化・高齢化が衰運の主因ですから、誰のせいでもない。

でも、そのときに「落ち目だ」ということを認めないで「絶好調」だと言い立てるのはよした方がいい。病気や怪我のときはどこがどう不具合なのかを非情緒的・客観的に報告するところからしか治療は始まりません。病気や怪我のときに「絶好調です」と言い張って、健康なときと同じ生活をしていたら命に関わります。でも、それと同じことが今の日本には起きている。

だから、「落ち目だ」と気がついた人たちから違う生き方を探し始めています。それを「悲観主義」だとか「衰退宿命論」だとか非難する人がいますけれど、違いますよ。体調が悪いときには「体調が悪い」ということを認めて、横になって身体を休めて、栄養を摂って、治療法を探すしかないんです。「違う生き方」は傷んだ身体に対する治療であり、気遣いなんです。若い人たちの地方移住や帰農や就活からの撤収はそういう流れだと思います。

そういうことが起きていることを多くの国民は知りません。新聞もテレビもそのことを報道しないからです。別に悪意があって報道しないわけではありません。「治療」が始まっているということそれ自体に気がついていないのです。メディアそのものが病んでいるからです。病んでいるのに「健康だ」と言い張っているので、他人がしている「治療」行為が意味あるものに見えないのです。

でも、「落ち目」だからと言って、少しも絶望的になる必要はありません。落ち目の局面ではそれに相応しい「後退戦」の戦い方があります。「ありもの」をていねいに使い延ばして、フェアな再分配の仕組みを作れば、まだまだ日本は世界有数の「暮らしやすい国」であり続けることができます。みんながそれに早く気づいてくれるといいんですけど。

Q：2017年11月、サンフランシスコのチャイナタウンに中国系米国人らの民間団体が建てた旧日本軍の慰安婦像の寄贈を市として受け入れたことに対して、大阪市の吉村洋文市長が「信頼関係が破壊された」として、60年も続いた姉妹都市の解消を表明しましたが、その後どうなったか、ご存じでしょうか。

大人のやることではありません

市議会は反対しましたが、姉妹都市提携は市長の専権事項ということで、姉妹都市関係は解消される見通しです。

これには前史があって、橋下徹前市長の時代に、彼の慰安婦制度についての暴言が原因で、訪問予定だったサンフランシスコ市から訪問を拒絶されたことがありました。橋下発言に対してアジア系を中心とするサンフランシスコ市民からの反発が大きく、訪問先で抗議集団に囲まれるリスクがあること、その場合のセキュリティの確保のために莫大な警備費用を市が負担しなければならないこと、市長の訪問でかえって大阪に対する市民の親近感が損なわれることが訪問拒絶の理由でした。

今の市長はそのことを根に持っているんでしょうね。前に面子を潰されたから、今度は

「仕返し」をするつもりなんでしょう。大人のやることではありません。

　そもそもここに来てサンフランシスコで慰安婦問題に対する市民の関心が高まったのは、現地で少女像設置に対する抗議行動をしていた日本の極右団体のあまりに差別的で暴力的な発言が市民たちに嫌悪感を催させたからです。サンフランシスコ市議会で、議員が傍聴に来ていた極右団体の人たちを指差して「恥を知れ！」と叱りつけていた映像がYouTubeで配信されていましたけれど、韓国のみならず、米国市民たちの対日感情まで悪化させてしまった。そのことで、彼らは一体日本にいかなる貢献を果たしているつもりでいるのか、僕には理解できません。

　慰安婦問題に対する日本人のこの反省のなさに怒った米国のいくつかの都市で次々と少女像が建つという逆効果さえ引き出してしまった。彼らは「歴史戦」にこうやって惨敗しているわけですけれど、こういうことをすればするほど国際社会における日本の評価は下がり、反日世論が盛り上がる。これを「自虐」と言わずして何と呼ぶべきか、僕は言葉を知りません。


（２０１８年４月22日）

「昭和懐古」の実相とはなにか

Q：西岸良平のマンガ『三丁目の夕日』や渡辺京二の『逝きし世の面影』の根強い人気など、最近、過去を懐かしむ雰囲気が世の中に強くなっている気がするのは気のせいでしょうか？　未来に対する漠然たる不安がそういう時代の気分をつくっているように思われます。

明治は遠くなりにけり

僕の父は明治末年の生まれの「最後の明治人」でした。「降る雪や　明治は遠くなりにけり」という中村草田男（くさたお）の句をよく口ずさんでいました。彼の明治に対する郷愁の深さは僕の昭和に対するそれとは比較できないと思います。なにしろ、父が子どもの頃、夜道を隣家に行くときは松明（たいまつ）を掲げていたそうですから。そういうほとんど江戸時代と地続きの幼年時代から始まって、第一次世界大戦、大恐慌、満州事変、太平洋戦争、敗戦、焼け跡闇市、高度成長、バブル崩壊まで経験した世代からすれば「明治は遠くなりにけり」というのは臓腑にしみいるような実感を伴う感懐だっただろうと思います。でも、僕たちやもっと若い世代が昭和を懐かしんでいるのだとすれば、それは明治人の懐旧とはずいぶん手触りが違う（だから、西岸良平と渡辺京二は同列には論じられないと思います）。

大阪万博をもう一度誘致しようという動きがあります。ビッグイベントで経済波及効果をねらうそうです。提案しているのは１９７０年の万博で当てた元官僚です。これも「過去を懐かしむ」というよりはむしろ「未来に何の希望も持てない」人間の脳裏に宿った妄想に近いような気がします。

この堺屋太一という人は、少し前に大阪市の特別顧問として「大阪10大名物」というのをぶち上げて、大失敗した人です（覚えておいでですか。「１ヘクタールのＣＭスクリーン」とか「驚愕展望台」とか「空中緑地」とか「エレクトロ・ゲームセンター」とか「道頓堀２キロプール」とか）。そういう「あっと驚く」プロジェクトがことごとく失敗した後に、押し入れの奥から古い「成功事例」の埃を払って、持ち出してきた。そこに金の匂いを嗅ぎつけて集まる人たちがまだいるようですけれど、これはもう失敗することが宿命づけられているプロジェクトだと僕は思います。そこには何の「未来」もないからです。何の「未知性」も、何の「夢」もない。彼らが惹きつけられているのは「前に嗅いだことのある金の匂い」だけです。バブルの頃に銀座や北新地にベンツで乗り付けて、ドンペリ開けて豪遊した記憶を懐かしがっている人たちの「昔はよかった」を「昭和を懐かしんでいる」というふうに呼ぶことに僕は同意しません。

この「擬似的」な懐古趣味が何を意味しているのかは、はっきりしています。「未来に希望がない」ということです。もっと踏み込んで言えば、「未来を恐怖している」ということです。これから起きることについては考えたくない。そういう怯えが多くの日本人を思考停止に導いている。それが現在の「昭和懐古」の実相ではないかと僕は思います。

歴史は迷走している

昭和の日本では「進歩史観」が支配的なイデオロギーでした。左翼の人々は、歴史は（多少の曲折はありつつ）、総体としては真理が全体化する過程であり、歴史は鉄の法則性によって貫かれていると信じていました。少なくともそういう前提で議論をしていた。一般の市民たちも、人口は増え続け、物価は上がり続け、資源も土地もどんどん足りなくなる「右肩上がり」経済を自明のものとして人生設計をしていました。

変化を「進歩」だと考える人とそれを「堕落」だと見る人の差はありましたけれど、歴史がある原理に従って一方向的に推移していることについてはほぼ国民的な合意が存在していました。でも、それが変わった。

21世紀に入って僕たちが知ったのは、歴史には法則性はないという冷厳な事実でした。

歴史は進歩のプロセスなんかじゃない。それはわが国の統治プロセスの劣化を見れば明らかです。日本人は今や自分たち自身の手で近代の立憲民主制を破壊して、「中世的」な独裁体制に変えようとしています。70年続いた平和を捨てて、国際紛争にコミットし、戦死者を出すことに前のめりになっている。

でも、他国も似たようなものです。アメリカの大統領選挙を見ても、EUの混乱を見ても、中近東やアフリカの絶望的な戦乱を見ても、どこにも「世界をより幸福な状態へと導く指南力のあるビジョン」なんか見当たりません。歴史は迷走している。そこにはなんの法則性もない。それが世界70億人の偽らざる実感だろうと僕は思います。

僕がよく知っている現場は学校ですけれども、ここでも制度の劣化は際立っています。大学の学術研究アウトカムの劣化は絶望的なペースで進行しています。人口当たり学術論文刊行数は21世紀に入ってから急坂を転げ落ちるように低下して、OECD最下位にまで落ちました。台湾、韓国より下位です。生命科学バイオやITや創薬のような先端的な分野ほど競争劣位が目立ちます。

日本人のノーベル賞受賞者が相次いでいますが、受賞者たちは口々に「今のような研究環境のままでは20年30年したら、ノーベル賞受賞者はゼロになるだろう」と苦言を呈しています。でも、文科省はそれに対して一言の反論もありません。相変わらず短期的なアウトカムが確実な研究以外には金を出さないと宣言しています。科学技術のイノベーションの80％は大学発信です。でも、もうそれが不可能になっている。なぜ、教育を司る官庁が大学の研究教育環境を破壊し、日本の知的生産性を減殺することにこれほど熱心なのか、正直に言って、僕には全然理由がわかりません。

希望を語れば嘘になる

2015年、文科省の指示によって、日本中の大学の学則が変更されました。メディアはほとんど報道しなかったので、一般の方は知らないでしょう。これまで大学教授会が保持していた重要な決定権を学長に移管するという規定になったのです。もう大学教授会は予算配分権も、人事権も、卒業判定や入学判定の権限さえも持ちません。学長が全部決定する。学長が諮問した場合に限り、教授会は意見を述べることができる。それだけです。学長は別に教授会の答申に従う義務はない。

これは学校という制度を株式会社に準拠した制度に変えるという国策の一部です。学長がCEOで、教職員は従業員、学生生徒とその保護者たちが教育サービスを購入する「消費者」。市場のニーズに合った教育サービスを適正価格で売ることのできる学校だけが生き残って、あとは淘汰されて市場から退場する。そういうビジネスモデルでしか学校教育を考えることができない人たちが教育政策を決定している。

本来、学校教育というのは「次世代を担うことができるように若者たちの市民的成熟を支援する」ことを本務とするものです。けれども、商取引モデルだと、「消費者」はバカであればあるほど騙しやすい。ですから、見栄えのいい広告に引っかかって、換金性の高そうな専門知識の習得に巨額の教育投資を行う頭の悪い消費者たちばかりになることを学校経営者たちはひそかに願うようになる。悪意があってそうしているわけじゃない。でも、教育を商取引の一種と考えるなら、そうなってしまうんです。誰も子どもたちの未来のことも、日本の未来のことも考えない。当期の売り上げのことしか考えられない。

さすがにオックスフォードとかケンブリッジとかハーバードといった老舗は軽々には社会の変化に即応しません。「変わらないこと」が学校の重要な社会的責務のひとつであるということを経験的に知っているからです。

一方、韓国のように80年代から急激にグローバル化した国では、失敗に気付くとすぐに補正できるフットワークの良さがある。グローバル化のもたらす教育の荒廃に韓国の人たちはすでに気が付いて、すでに修正の動きに入っています。日本ひとり必死でコースを逆走している。

これは教育現場で起きていることですが、他の領域でも事情は変わりません。どこでも「経済成長」「国威発揚」というファンタジーを追って、かろうじて残された貴重な国民資源がまったく無意味なことのために蕩尽(とうじん)されている。

この先に展望される社会のありかたについて、希望が持てると言える日本人はほとんどいないでしょう。五輪・万博が大成功し、インバウンドの観光客がカジノに列をなし、原発はクリーンで安いエネルギーを生み出し続け、海外派兵された自衛隊の大活躍で紛争は終結し、日本は安保理の常任理事国に推され、世界中が「日本スゴイ」と讃辞を送る……そんな夢を本当に信じている人はたぶんひとりもいない。でも、「そんな空疎なファンタジーを語るのは止めて、もっと地に足のついた未来社会設計をしましょう」と提唱する人は今の日本の指導層にはいません。心の中では思っているのでしょうけれど、口に出しては言えない。言えば袋叩きになることがわかっているから。

希望を語れば嘘になるし、不安を語れば「非国民」と罵られる。未来について語ることが禁忌になっている。だから、しかたなく過去について語っている。それが「昭和懐古」の実相ではないかと僕は思います。

（２０１６年12月21日）

天皇制はあったほうがいいのでしょうか？

Q：白井聡のベストセラー『国体論　菊と星条旗』（集英社新書）が話題ですが、そこで著者は、戦前の天皇制が、戦後はアメリカに換骨奪胎されて日本の「国体」をなしていると議論しています。そのように都合よく換骨奪胎される国体は、時の政治権力に利用されるだけ利用されてきた側面がありますが、それでもやっぱりあったほうがいいのでしょうか？

具体的な被害事実はあるか

天皇制を廃止しなければならない喫緊（きっきん）の理由があるのか。まずそれを考えるべきでしょう。果たして「天皇制があるせいで、私は現にこのような被害を蒙（こうむ）っている」という具体的な事実がどれくらい列挙し得るのか？

僕は根っからのプラグマティストなので、制度について原理的に正しいとか、原理的に間違っているというような話には興味がありません。それよりは「天皇制が廃絶されることによってどういうメリットがあるのか」を知りたいのです。天皇制廃止がもたらすメリットは天皇制存続がもたらすメリットよりも大であるということについて誰かが僕を論理的に説得してくれたら僕はただちにそれに同意します。僕は「世の中がより住み易くなる政策」には基本的に全部賛成です。

天皇制を廃止するとしたら、まず最初に「私は天皇制があるせいで実質的にこのような不利益を蒙っている」という被害事実をはっきり提示すべきだと思うんです。例えば、天皇制のおかげで国際社会から近代国家として認められていないとか、天皇制があるせいで日本人は市民的な成熟を阻害されているとか、天皇制のせいで社会の民主化が進まないとか、そういう事実があるというのなら、話を聞きたい。僕はその因果関係の理路には興味があります。

でも、たぶん誰も僕を説得できないのではないかと思います。世界中のどの国も、自分たちの起源や由来については固有の「フィクション」を持っています。アメリカだって、中国だって、ロシアだって、みんなわが国は唯一無二の国であり、固有の世界史的召命（しょうめい）を担っているという「作り話」をしている。そういう物語を持たない国なんて、ありません。「オレは国家なんていう幻想を信じない」という人もいるでしょうけれど、そういう人は国家そのものを否定しているわけですから、天皇制の可否なんかに口を出すはずがない。即身仏になろうとしている人が「カツカレーと鰻丼のどっちが美味しいか？」なんていう議論には首を突っ込まないのと同じです。

天皇制廃絶のための改憲の立法事実はとりあえずは見出し難い。改憲がダメだとなると、政体そのものを転覆する政治革命を起こすしかありません。でも、「天皇制を廃止するための革命」を誰かが言い出したとして、何十万人もの日本国民がその旗印の下に決起する……というような予測には今のところまったく現実性がありません。あと100年待っても、革命の機は熟しそうもない。だったらそんな話は何も今しなくてもいいんじゃないですか。

それよりは、今、手元にある制度をどう活用するかを考える方が現実的だと僕は思います。他のすべての政治制度と同じく、天皇制にも固有の政治的機能があります。僕たちがなすべきことは、その政治的機能を理解し、その運用に習熟して、それがもたらす損害を最小化し、それがもたらす利益を最大化することだと思います。

卑弥呼の時代から二極構造だった

僕は天皇制のメリットの一つは、世俗の権力者とは別に、道徳的なインテグリティ（廉潔性）の象徴として天皇陛下が存在するという二極性にあると思います。世俗の権力者がどれほど失政を重ねても、非道な人物であっても、それによって「日本そのものがダメになった」と落ち込まずに済む。

小津安二郎の映画『小早川家の秋』で、中村鴈治郎の演じた道楽者のお父さんの葬儀の席で、娘が「たよりないお父ちゃんやと思うてたけど、小早川の家がどうやら今日までもってたのは、やっぱりお父ちゃんのお蔭やったんや」と呟く印象的な場面があります。いなくなってはじめてその人がどれほど大切な働きをしていたかわかるということはあります。

天皇制も廃絶してみたら、その後になって、それで「日本が何とかもっていた」ことがわかるんじゃないでしょうか。でも、こんな複雑な仕組みは一度壊してしまったら、もう二度と再生させることはできません。

確かにご指摘の通り、天皇制が世俗の権力者によって利用されてきたことは歴史的事実です。摂関政治の時代も、幕藩体制の時代も、薩長藩閥政治の時代も、戦後のアメリカの占領時代も、いつでもそうだった。卑弥呼の時代に、彼女の霊的権威を背景にして政事を担当していたのは彼女の弟でしたからヒメヒコ制の時代からずっと霊的権威と世俗的権威の二極構造そのものは変わっていないんです。昨日今日できたシステムじゃない。日本の政治文化として受肉している。ですから、この制度だけを無傷で切り離すことはできません。するなら、「これまでの日本とはまったく違う国を作る」ということについて、それがどういうかたちの国であるかについて、制度の廃止に先立って国民的な合意を形成しなければならない。

でも、この制度改変に向けて国民的合意を形成しようと思ったら、政治的リソースの相当部分をそこに投じなければなりません。今の日本にそんな余裕がありますか？　安全保障や人口減や財政破綻のリスクを抱えて、国力の衰微に喘（あえ）いでいる国が、よりによって天皇制廃絶というような気が遠くなるような巨大なイシューに優先的にリソースを分配する……そんな判断に僕は合理性を認められません。天皇制の存廃について議論することに僕は反対していません。でも、それより先にもっとしなければならないことがあるんじゃないかと言っているのです。今は「ありもの」の制度をどう適切に運用するか、それがもたらすメリットをどう最大化するか、その工夫をする方が合理的だ。僕はそう言っているだけです。原理的な話をしているわけじゃない。現実的な話をしているのです。

先進国にもまだ国王はいます。イギリスにもベルギーにもスペインにも国王はいます。イタリアだって70年前までは王国でした。イタリアの王政が廃止されたのはヴィットーリオ・エマヌエーレ3世という人物が暗君だったせいです。ムッソリーニと手を組んだ政治判断も問題ですが、大戦末期に国民を混乱のうちに置き去りにして逃亡したことが国民の反感を買いました。もし彼が踏み止まって、ドイツとの戦いの先頭に立っていれば、大戦後もイタリア王国は続いた可能性はあります。国民投票での王政廃止への賛否は54％対46

%という僅差だったんですから。彼がもっと賢明で勇敢であれば、イタリアはいまも王国だったかも知れません。SF的空想ですけれど、歴史の転換点には属人的な要素が決定的にかかわることがあるということは忘れるべきではありません。

日本でも、昭和天皇の戦争末期のふるまいや占領期のマッカーサー元帥の判断が別のものであったら、その時点で天皇制が終わっていたことだってあり得たのです。

原理的には終わっていたかも知れない制度が、現実的には生き延びた。その場合、「終わっていたかも知れない」という可能性と「生き延びた」という現実の両方を等しく勘定に入れて、リアルかつクールにこの制度については考察しなければならないと僕は思います。

「長年にわたって機能してきた社会システムを廃止するとか、うまくいく保証のない新しいシステムを導入・構築するとかいう場合は、『石橋を叩いて渡らない』を信条としなければならない」というのはかのエドマンド・バークの名言です。僕はバークに賛成します。

（2018年11月19日）

Q：稲田朋美元防衛大臣といい、右翼のひとはどうして教育勅語が好きで、左翼のひとは嫌いなのでしょうか。

徳ヲ樹ツルコト深厚ナリ

僕の名前の「樹」は教育勅語から取ったんです。「朕惟フニ我カ皇祖皇宗國ヲ肇ムルコト宏遠ニ徳ヲ樹ツルコト深厚ナリ」。名付け親は父の親友だった陸軍中野学校出身の人でした。ばりばりの職業軍人だった人がつけた名前ですから、民主日本にはあまり見ることのない名前です。昔は、僕の名前を見て、「ああ、教育勅語からですね」と気がつく人がけっこういたんですけれど、今はもういませんね。

「父母ニ孝ニ兄弟ニ友ニ夫婦相和シ朋友相信シ」というあたりには問題ないじゃないかと言う人がいますけれど、「教育勅語」の問題点は、そもそも天皇が国民の生き方を上から命令するという設定そのものに無理があるということです。それより何より気に入らないのは、これを書いたのが天皇自身じゃなくて、明治政府の役人たちだということです。どういう臣民であれば「支配し易いか」ということを目標にして作文した。いわば天皇の名を騙って、自己都合で書いた。それが僕は気に入らない。

特に、「一旦緩急アレハ義勇公ニ奉シ以テ天壌無窮ノ皇運ヲ扶翼スヘシ」が気に入らない。これだって、天皇ご自身がそう言うのならともかく、作文している役人風情に偉そうにそんなこと言われたくありません。

勅語の文章自体は悪くないですよ。覚えやすいし。名文と言っていいと思います。軍人勅諭を今暗誦できる人はまずいませんが、教育勅語をそらんじる人はたくさんいます。それだけ文章としては練れている。でも、教育勅語を学校教育に導入しようとしている政治家はみんな日本会議、神道政治連盟系でしょう。この人たちは今の天皇陛下に対してはまったく敬意を抱いていない。天皇陛下に本当に敬意を抱いていたら、教育勅語ではなく、これまで陛下が折に触れて発されてきた「おことば」を学校教育に取り入れようと言い出すはずです。でも、そんなこと誰一人言わないじゃないですか。天皇陛下に敬意を持たない人間が、自分の政治的な計画を実現し、自己利益の増大をはかるために、天皇が渙発する「勅語」という形式の文章を利用している。こういう姑息な人たちに「人の道」とか言われたくないです。まず自分の性根を叩き直してから人にものを言えよと思いますね。

（２０１９年３月10日）

令和ニッポンは「後進国」に転落する？

Q：平成から令和になって、そろそろ半年。10月22日は「即位礼正殿の儀の行われる日」ということで祝日になります。令和はどんな時代になると思われますか？　今のうちにやっておいた方がよいことがあったら教えてください。

人口減と高齢化とＡＩ

未来予測はむずかしいです。わかっているのは、急激な人口減と高齢化が訪れるということ。このような事態を日本人は過去に一度も経験したことがありません。だから、何が起きるのか、どう対処したらいいのか、誰も正解を知りません。

もう一つはＡＩの導入による雇用消失。これも、どの産業セクターで、いつどの程度の雇用消失が起きるかは予測がつきません。

アメリカではＡＩによる雇用環境の変動についてはさまざまなシミュレーションが行わ

れています。僕が読んだ限りでは、楽観的な数値で14％、悲観的な数値では38％の雇用が「消える」と予想されていました。

まず消えるのが長距離トラック運転手だそうです。自動運転は技術的にはほぼ完成していますので、実用化されると２００万人の雇用が消滅する。自動運転車は交通違反もしませんし、休憩もしないし、眠りもしないで、３６５日24時間運転し続けてくれる。初期投資の費用が相当かかっても、長期的には、導入に遅れた企業にはまるで勝ち目がありません。

それ以外にも、高度専門職であるはずの弁護士や医師の業務でも、相当部分でＡＩが人間に取って代わると予測されています。

でも、日本では、ＡＩによる雇用消失はほとんど話題になりません。日本は賃金が安いので、自動化するより低賃金労働者を使い倒した方が儲かるという算盤を弾いている経営者が多いからでしょう。

でも、そうやって世界のトレンドに遅れ続けた場合、気がついたら、日本は低賃金労働者しか売り物がない「後進国」に転落している……ということは十分にあり得ます。

というのが、かなり暗い未来予測です。

移民への迫害や差別による国の分断

予測可能な未来の姿のもう一つは「多民族国家」化です。日本はすでに270万人を超える外国人労働者を受け入れた「移民社会」です。しかし、受け入れを進めている政府も企業も、外国人労働者を単なる低賃金の労働者、雇用調整のバッファーとしか見なしていません。彼らを日本社会に「同胞」として受け入れる制度的な備えも、心の準備もありません。人種も、言語も、宗教も、生活習慣も違う人たちを「同胞」として受け入れるためには、受け入れる側にそれなりの市民的成熟が必要です。しかし、今の日本政府にも、日本国民にも、大量の外国人労働者を受け入れるつもりなら自分たちが変わらなければならないという覚悟はありません。

ですから、いずれ外国人の人口比がある限界を超えたところで、他の国々と同じようにファナティックな「日本人至上主義」（Japan supremacy）が勃興してきて、移民への迫害や差別によって国が分断されることになるでしょう。暗鬱な予測ですけれど、今のまま無策を続ければ、必ずそうなります。

いずれにせよ、日本の未来についてはまったく楽観的になれません。それは経済指標だけでなく、報道の自由、女性の社会進出、学術的生産力……といった国力を示す多くの指標が下降し続けていることから当然推論されることです。日本の劣化は劇的な速度で進行していますけれど、国民の多くはその事実そのものを知らない。それは、メディアが日本の現状を冷静に報道し、分析し、対策を提言するだけの知的活力を喪失してしまったからです。

２０００年に日本は一人当たりＧＤＰでルクセンブルクに次いで世界2位でした。２０１８年は26位です。日本のＧＤＰの対世界シェアは１９９５年には約18％でしたが、今は約６％です。世界経済における日本のプレゼンスは20年で３分の１にまで低下したのです。報道の自由度ランキングは２０１０年が11位でしたが２０１９年は67位で先進国最下位となりました。高等教育への公的支出の対ＧＤＰ比も日本は先進国最下位が久しく定位置です。女性の社会進出の指標である女性国会議員比率も先進国最下位です。

これらの指標を危機的な徴候だとみなして、何とか国運回復のための手立てを講じなければならないというひりひりした危機感は今の日本の官民のどこにも感じられません。五輪だ万博だカジノだ嫌韓だという目先の話題で一日が終わる現状を見る限り、「日本には先はない」と言うほかないです。

Q：今、堀田善衞の『若き日の詩人たちの肖像』を読んでいます。18歳の堀田少年が１９

３６年、二・二六事件が起きる直前の2月25日に上京して体験したことからはじまるほぼ実話で、共産党だけでなく多くのリベラルな知識人が弾圧されて、当時はすでに党員シンパが爪を剝がされるなどの残忍な拷問を受け、小林多喜二も殺されている。今はそこまでの露骨な暴力はないのですが、自由な言論が徐々に圧しつぶされてくる状況が今に似ているように感じます。内田先生はどう思われますか？

治安維持法も思想警察もないのに……

１９３０年代と現代との相似については、戦史・紛争史研究家の山崎雅弘さんが繰り返し指摘しています。でも、三つ大きな違いがあります。それは治安維持法がないこと、統帥権で守られていた陸海軍が存在しないこと、思想警察である特高も憲兵隊も存在しないことです。

それにもかかわらず、30年代と今を比較して「同じだ」と感じられるとしたら、それほどジャーナリストと知識人が無力になっているということです。

表現の自由が憲法で保障されており、どのような反政府的発言をしてもそれでただちに投獄されたり、拷問されたりすることが「ない」にもかかわらず、戦前と同じくらいにメディアが萎縮している。

籠池夫妻やゴーン氏の事例を見ると「国策逮捕」ということはたしかにありそうです。でも、さすがに竹刀でぶちのめすとか、爪を剝がすとかいうような拷問まではまだしていない（そのうち始まるかも知れませんが）。

戦前に特高が行った虐殺、拷問、獄死の義死者数は1700人に達しました。特高は戦後いったんは廃止されますが、GHQが左翼運動や労働運動の情報収集のために、公職追放されていた元特高警察官たちを再雇用しました。彼らはその後めでたく中央省庁の幹部職に復職しました。ですから、あれだけ人を殺しておきながら、戦争犯罪人として裁かれた者が特高関係者には一人もいませんでした。日本の政治警察については真相の究明も、責任追及もなされていない。これは日本近代史の暗部だと思います。

1930年代だったら、僕はとっくに政治犯として逮捕されています。ただ、当時の特高が左翼を転向させるためには、暴力だけでなく、それなりの説得力のあるロジックを駆使していたと思います。当時の左翼の学生や知識人が運動に参加した動機は、虐げられた貧しい労働者への共感と憐憫からですから。社会資源の公正な分配を求めた。基本にそういう人間的感情がある運動なら、弾圧する側が「君の真情はよくわかる」と言えば、取り付く島がある。「君は社会正義を実現しようと思ってマルクス主義者になった。だが、日本人の思考は天皇制や仏教や家制度や、さまざまなしがらみのうちにある。階級闘争理論では一刀両断にはできない。諸君が社会正義の実現を目指す志を私は壮とする。でもね、大人になりたまえ。千里の道も一歩からだ。まずこの日本社会の複雑な仕組みを理解し、その中でできることから実現してゆく方が実は目的を達成するには早道ではないのかな。君はまだ若いのだ。がんばりたまえ」というようなものわかりのよさそうな説得をおそらくしたんだろうと思います（僕が思想警察の検察官だったら、きっとそうやって転向させます）。

でも、実際にはどういう情報収集があり、逮捕拷問があり、転向への導入があったのか、僕たちは詳細を知りません。資料が残されていないからです。

さいわい、今の日本の公安警察はそこまで過激なことはしていません。僕が経験した「いやがらせ」といっても、せいぜい地方自治体が講演会場を貸し渋るとか、教育委員会が後援を拒否するとかいう程度で、あとはネットで匿名で罵倒されるくらいのことです。

でも、このまま今の政権の反法治主義的な政治が続くと、自分たちの「反日叩き」は政府公認の政治活動なんだと勘違いした連中がもっと暴力的な行動をとる可能性はあります。どんな違法行為をしても、相手が「反日分子」であれば、政府も警察も黙認してくれるのではないか、と思い込む人たちがいずれ出てくる。

僕や平川克美くんや小田嶋隆さんの言論活動はそういう意味では「どこまで踏み込んだら地雷に触れるか」の瀬踏みをしているようなものなんです。けっこうリスキーな仕事をしているわけです。でも、そういう仕事は若い人に押し付けるわけにはゆかない。老い先短い年寄りが引き受けなければいけないと思っています。それにしても、まさか自分が生きている間に暴力的な思想統制が身に迫る時代が来るとは思ってもいませんでした。

（２０１９年12月４日）

コラム

ゴジラと現代思想

Q：庵野秀明監督の映画『シン・ゴジラ』でゴジラが12年ぶりに復活し、大ヒットを記録しています。ゴジラを現代思想的に読み解くと、どういうことがいえるのでしょうか？

1950年代の「核の恐怖」

『ゴジラ』第1作が公開されたのは、1954年暮れでした。その年の3月に第五福竜丸がビキニ環礁で行われたアメリカの水爆実験で放射能を浴びた。二つの出来事は無関係ではありません。でも、1950年代の「核の恐怖」は、現代人にはもううまく想像できないと思います。一つには現代はあまりに核が日常化してしまっているせいで。もう一つには1945年から後、人類が一度も核兵器を使用していなかったので核があまりに非日常化しているせいで。

ですから、北朝鮮が核ミサイルを持っていることがわかっても、日本政府の「非核三原則」が嘘だとわかっても、オバマ大統領が提案した核先制不使用政策に安倍首相が反対しても、みんなたいして驚かない。核兵器は「あるけど、ない」政治的なカードとしてすっかり手垢がついてしまったのです。

でも、50年代には「次の戦争では、米ソは核兵器を必ず使うだろう」という予測にリアリティがあった。それを世界中の人々が怖れていた。

広島・長崎への原爆投下は日本人だけでなく、アメリカ人にとっても衝撃的な事件だったんです。アメリカはそれまでなんとか大義名分を掲げて「正義の戦争」をしていると言い張ってきた。でも、広島・長崎では市街地を爆撃して、一般市民を20万人殺しました。なぜ降伏寸前の日本に原爆投下が必要だったのか、アメリカ人自身も自分を説得できる根拠がなかった。

事実、終戦直後から、米国内でも、「原爆投下は間違っていた」という厳しい倫理的批判が政府に向けられました。カトリック、プロテスタントの神学者たち、保守、リベラル双方の理想主義者たちから、市民を標的にした無差別爆撃と原爆投下によってアメリカはドイツや日本に対して倫理的優位性を失ったという厳しい批判がトルーマン大統領に向けられました。

東京裁判でブレイクニー弁護人は裁判の冒頭で、敗戦国が戦争を行ったことそのものを犯罪として断罪する権利は戦勝国にはないと主張しました。もし日本の戦犯たちが戦争を企画実行したことで罰せられるのなら、アメリカの戦争指導部も同じ罪に問われねばならない。このアメリカ人の弁護人は「原爆を投下した者がいる。この投下を計画し、その実行を命じ、これを黙認した者がいる。その者たちが裁いているのだ。彼らも殺人者ではないか」という痛烈な言葉をトルーマンに投げつけました。

ブレイクニーは軍人で弁護士です。別に左翼でも神学者でもありません。でも、彼の言葉はその時点では少しも過激なものではなかった。1946年では、これまでアメリカの掲げてきた正義の理念に照らせば、「アメリカに敗戦国を裁く倫理的優位性はない」というのは「常識」だったのです。46年までは、原爆投下は人類に対する許しがたい蛮行だったという考え方をするアメリカ人がたくさんいたのです。それが一変するのは47年です。前陸軍長官スティムソンが「原爆投下でアメリカの兵士100万人の命が救われた」というデタラメな主張を行ったせいで、米国の世論は一気に「原爆投下は正しい」にシフトしました。以後そのまま。

人類滅亡ストーリー

日本国憲法の9条2項にも濃密に原爆への恐怖は反映しています。憲法草案起草時点では、「次の戦争」には必ず核兵器が使われるだろうということは自明でした。「次の戦争」

が始まれば人類は滅びる。だから、どの国も、どんな理由からでも、戦争を始めてはならない。そう考える人がＧＨＱ民政局にはいました。そのアメリカの理想主義的な反省がブレイクニーの冒頭陳述や憲法９条には反映していた。

でも、50年に朝鮮戦争が始まって、アメリカの理想主義は一気に退潮します。マッカーサーは朝鮮半島で核兵器を使うことを本気で提案していました。だから、１９５０年代から60年代にかけては、核戦争によって人類が滅亡するというストーリーがいきなりリアリティを獲得する。そのテーマのＳＦ映画が量産されました。『渚にて』も『博士の異常な愛情』も『魚が出てきた日』もそうです。世界がどんなふうに滅亡するのかを物語として語ることで少しでも不安を抑制したかったんでしょう。

映画だけじゃなくてＴＶドラマでもそうでした。ロッド・サーリングの「トワイライト・ゾーン」も「ヒッチコック劇場」もいずれも条理が解体した無秩序な世界に投じられる人の恐怖と混乱を主題にした30分ドラマでしたけれど、その中でも核兵器によって世界が滅亡する話を僕は何度も見ました。

当時アメリカの原子力の学会誌が「核戦争まであと何分」かを示す「世界終末時計」というものを掲載していました。核戦争による人類の絶滅を午前０時として、終末まで「残り何分」かを示したものです。計時がスタートした47年が終末７分前、53年は２分前と表示されました。

『世界大戦争』という東宝映画があります。1961年の公開です。映画のラストシーンは東京にミサイルが飛んでくるのを、フランキー堺と乙羽信子と星由里子の一家が卓袱台を囲んで、「これが最後の一家団欒だね」としみじみ語り合うところで終わります。

敗戦国日本の国民は米ソの冷戦に対して何の影響力も行使できない。自分たちの頭上にICBM（大陸間弾道ミサイル）が飛来するのを黙って待つしかない。その無力感と諦念がよく表現されていた画面でした。

現に、少し前まで日本は戦争をしていました。そのときの恐怖と苦痛の記憶がまだ生々しかった。でも、今は戦中に比べればふつうにご飯も食べられるし、言いたいことも言えるし、憲兵や特高が威張っているわけでもない。たしかに戦争に巻き込まれて意味なく死ぬんだけれど、それでも家族と一緒にご飯を食べながら死ねる。それなら、前の戦争のときよりも「まだまし」な死に方じゃないか。そういう破滅を前提としたアナーキーな明るさが60年代の日本にはありました。

クレージーキャッツの笑いを「高度成長期を迎えた日本の明るさ」と評する人がいますけれど、僕はあの明るさは絶望の裏返しだったと思います。

亡くなった永六輔が作詞した「上を向いて歩こう」は60年安保の敗北感を歌ったものだという説があります。たしかに60年安保闘争があれだけの規模になったのは「もう戦争に巻き込まれるのは厭だ」というストレートな市民感情があったからです。市民たちは条約の内容なんか知らなかった。でも、戦争への恐怖はリアルだった。「上を向いて」歩いていた人たちは頭上に飛来するＩＣＢＭを怖れていたのかも知れません。

現代では「核の恐怖」というのはもうリアリティがありません。だから、そういう足元が崩れるような恐怖感が映像的に表現されることもない。

『ゴジラ』もシリーズ化されると、ゴジラが正義の味方になったり、顔もだんだん可愛くなってしまった。これはシリーズ化された作物すべてに共通する無意識的傾向なので、制御しようがありません。ミッキーマウスだって登場してきたときはワイルドで暴力的で狡猾な鼠だったのに、いつのまにか顔の半分くらいが目玉になって、２頭身のかわいいアイドルになってしまった。「いい人」化はシリーズの宿命なんです。

『ゴジラ』もそうでした。原初の異物感をそのまま持続することができなかった。しかたなく、そのつどシリーズを切って「新しいゴジラ」を造形しようとした。『ゴジラ』の新作を作るとすれば、どうやって54年版の恐怖を再現するかが課題になります。行動パターンが理解不能であり、理解も共感も絶する怪物が人間社会を根本から破壊してゆくという物語でなければならない。繰り返しそれが試みられましたが、果たして成功していると言えるかどうか。

54年版『ゴジラ』にあってその後なくなるのは、怪獣が日常生活に踏み込んできて、ささやかな市民生活が破壊されてゆくプロセスの精密な描写です。54年版『ゴジラ』にはそれがあります。逃げ惑う人々、取り残されてゴジラに踏み潰される母娘、ゴジラの接近を直前まで中継放送して、最後に「みなさん、さようなら」と告げて死ぬアナウンサー。個人の力ではどうにもならない巨大な力に固有名を持った日常生活が壊されてゆく。その恐怖はおそらく直近の戦争経験のリアリティに裏づけられています。でも、時代が経ち、戦争経験も核の恐怖も希薄になるにつれて、ゴジラ映画はミニチュアの都市を着ぐるみのゴジラが踏みつぶしてゆくだけの定型に堕してしまった。観客はカメラと一緒に「神の視点」から都市の破壊を見下ろすだけで、もう等身大の市民生活が破壊される場面は描かれなくなった。

だから、『シン・ゴジラ』は未見なんですけれど、もし原点回帰を考えているんだったら、ゴジラを共感不能、理解不能なモンスターにするということと、市民生活が破壊される具体的な恐怖を描くことが必須だと思います。オリジナル版に迫るには、それしかないと思う。ゴジラの行動が予測可能で、ゴジラの思考が理解可能になったら、もう怖くないんです。ご覧になった方、この予言は当たったか、外れたか、どうでしょう?

（2016年10月29日）

Ⅱ　これからの政治を語ろう

「美しい国」に対峙する政治思想はなぜ生まれないのか？

Q：日本はこういう国であるべきだとか、こうあってほしいという新しいビジョンがないままにずっときています。『美しい国へ』を掲げる安倍晋三は、アメリカから押し付けられた日本国憲法は改正して、自立した国になるんだと主張しているようです。内閣官房がはじめた「明治150年」キャンペーンも、司馬遼太郎の『坂の上の雲』と重ね合わせているようですが、安倍政権に対抗する政治思想が国民の中にないことについて、先生はどう思われますか？

「富国強兵」から「経済成長」一筋へ

民主党が2009年に政権交代したときに、「コンクリートから人へ」というスローガンを掲げましたね。もちろん、それで少しも悪いことはないんですけれど、やはりインパクトが足りない。それだけでは、国民を統合するような力強い指南力は持ち得ないと思うんです。国の未来を照らし出すような向日的な国家像としては弱い。「手触りのやさしい政治」とか「ボトムアップの政治」とか、「国民の生活が第一」とか、もちろんいいことなんですよ。それで正しい。でも、そういう日常的な努力の積み重ねが、どういうふうに国の行方を決定して、どういう国を実現してゆくのか、それが見えてこない。

20世紀までの日本は何を目指すのかかなりはっきりしていたと思います。明治維新から後はとにかく「富国強兵・殖産興業」一筋でした。欧米列強に伍する近代国家を作ることがすべてだった。

それが敗戦ですべて消し飛んだ。ですから、戦後の国家目標は何よりも「戦前の生活レベルにまで戻すこと」でした。瓦礫と焦土からの国家再建という目標も、これまた具体的ではっきりしていた。

「もはや戦後ではない」というのは、１９５６年の経済白書の結びの言葉ですが、それが意味していたのは、要するに「一人当たりのＧＮＰが戦前の水準を超えた」ということでした。１９３７年の盧溝橋事件から20年経って、56年に「もはや戦後ではない」と宣言できるまでの20年が昭和の「失われた20年間」でした。そして、その年から日本のあの伝説的な高度成長が始まった。

その後はとにかく経済成長一筋です。世界から「エコノミック・アニマル」と蔑称されながらも、「経済戦争」ではアメリカに肉迫し、89年には、ついにはマンハッタンの摩天楼を買い、ハリウッド映画も買うところまで行きました。「日本の地価を足すとアメリカが二つ買える」という言葉をビジネスマンたちが自慢げに口にしていたのはその頃のことです。

バブル期の東京について、僕は個人的にはろくな思い出がありませんが、それでも日本がこのままゆけば、世界一の金持ち国家になり、アメリカから国家主権を金で買い戻せるんじゃないかという夢を見ていた当時の日本人の思い上がりは今から思うとずいぶん可憐なものだったなと思います。たしかに金で国家主権を買い戻した国は歴史上存在しません。そして、日本は89年にその偉業に指先がかかったんですから。

「坂の上の雲」がかき消えた

「坂の上の雲」というのは、国民が自分たちの日々の実践と国運がリンクしているという幻想的な感覚のことです。自分が額に汗して働けば、それだけ自分の暮らし向きがよくなるだけでなく、周りの人々も豊かになり、国力も増大する。そういう、個人的な努力と国運の向上の間にリンケージがあるという国民的規模の幻想のことです。

「坂を上る」という動作では、「坂の上の雲」をめざして、足を一歩前に進めるごとに眺望が広がります。頂きに立つと遠くに海が見え、山の連なりが見える。個人の日々の努力が、必ず広々とした展望を可能にしてくれるという消息を司馬遼太郎は「坂の上の雲」という独特の比喩で表しました。司馬は日露戦争までの明治の日本をその言葉で言い当てたのですが、戦後日本の再興も、バブル経済も、日本人はそれぞれの仕方で「坂の上の雲」を見上げて歩んでいたのだと僕は思います。

日本が中国にＧＤＰで抜かれて、それまで42年間維持していた世界第２位の座を明け渡したのは、２０１０年のことです。ということは、バブル崩壊から後も20年近く日本は世界第２位の経済大国であり続けたのです。でも、国民はすっかり「腑抜け」のようになってしまっていました。それは国民の日常的実践と国運のリンケージが失われたからです。僕はそう思います。自己努力が国力の増大に繋がるということが信じられなくなったのです。「坂の上の雲」が見えなくなったのです。

バブル期までは、ビジネスマンたちはあくどい金儲けをしながらも「これは日本の国力を世界に冠たるレベルにまで押し上げる国民的事業の一部なのだ」という自己正当化ができた。その時代、羽振りのいいビジネスマンたちが貧乏な研究者であった僕に示していた露骨に軽蔑的な視線を僕は今もよく覚えています。別に彼らは単に僕が「金がない」からバカにしていたわけではありません。おそらくは古い書物を読みふけって、誰も読まない論文を書いている僕の「国家的事業への没交渉」を嫌ったのです。「なんで、お前は日本を世界一の金持ち国家にするこの壮大な事業に参加しないんだ」と。その気持ちは今になると何となくわかります。

日本は21世紀に入ってからもずっとたいそうな金持ちではあり続けたのです。でも、その金を何に使えばいいのかがわからなくなった。それが「失われた20年」の実相だったと僕は思います。今の日本社会が奇形的なのはそのせいです。政官財学術メディアの指導者たちはもう国家的な目標を持っていません。何をしていいかわからない。「対米従属」は依然として基本的国策として掲げられていますけれど、対米従属を通じて何がしたいのかがもうわからなくなった。

「国民主権の回復」という国民的な目標を見失ってしまったのですから、することがないのです。仕方がないので、これまで培ってきた対米従属技能のすべてをおのれ一人の立身出世と私利追求に排他的に使用するようになった。それが現在の政権の強権政治・縁故政治の本質です。あれは別に政権周りの人たちが例外的に邪悪であるとか貪欲であるということではないのです（多少はそうですが）。国家目標を見失ってしまったので、権力の使い道が自己利益の拡大以外になくなったのです。

それでも、リベラルや左翼に比べると、自民党は「国としてやりたいこと」がはっきりしています。それは「オレたちに権力も財貨も情報も全部集めろ」というたいへんシンプルなものだからです。なぜなら日本がどういう国であるべきか、彼らは「知っている」と思っているからです。「美しい国」とか「日本を、取り戻す。」とかいうのは無内容な空語ですけれど、それでも、彼らには「達成すべき国家のかたち」について何らかのイメージがある。だから、「国のために国民は何を犠牲にすべきか」というふうに論を立てることができる。野党はそれができないのです。「こんなふうな国になったらいいな」という漠然とした希望はあるでしょうけれど、「反対するやつは非国民だ」と怒鳴りつけるような不作法ができない。それが左翼・リベラルの弱みなのです。

まことに不思議なことですけれど、国民に向かって「国のためにお前たちは何を犠牲にできるのか」と凄む政党の方が、「国民のために国は何ができるか」を配慮する政党よりも人気があるのです。不思議なことに。おそらく、そちらの方が「国家的大義」を代表しているように見えるからでしょう。市民たちは自分たちに犠牲を求める政党は「国家目標」を知っており、自分たちに福利をもたらすと約束する政党にはそれがないというふうに感じてしまうのです。「自分たちに奉仕してくれる国家」より「自分たちが奉仕する国家」の方が国として「立派そう」に見えるのです。「お国のために尽くせ」と言われると、そんな無理筋の要求ができるほど日本は「たいそうな国」なような気がしてくるのです。だから、国民主権や基本的人権や平和主義を否定する政治家を市民が熱狂的に支持するという倒錯が起きる。

リベラルや左翼の人たちはそういう要求をしません。国民に犠牲を強いるような政策は決して掲げない。でも、なぜかその「国民フレンドリー」な政党が過半数を制することがができない。

グルーチョ・マルクスの台詞に「私を会員として受け入れるようなクラブには入会したくない」というのがありますけれど、それに倣って言えば、「私を国民として厚遇するような『優しい』国家のメンバーではありたくない。それより私に犠牲を強いるような『怖い』国家の一員でありたい」と多くの国民が思っている。もしかすると、その倒錯は国民国家という擬制が成立するための本質的な条件の一つなのかも知れません。

国民国家の成員たちは、自分たちの市民的な幸福や安寧や健康よりも、国運や国威のような幻想を優先的に配慮してしまう（ことがある）。

この理不尽な現実を僕たちは直視しないといけないと思います。

自分にとっていいことは何一つなくても、「日本には達成すべき国家目標がある」という話には（嘘でも）心が動く。国民国家の成員というのはそういう哀しい生き物なんです。それを認めないと話が始まらない。

国力というのは突き詰めれば、やっぱり「坂の上の雲」を持つことに尽くされます。いくら経済力があっても、軍事力があっても、国の未来が展望できなければ、国民は「腑抜け」になってしまう。今の日本は国運がすさまじい勢いで衰微していますけれど、それは個人的努力と国運の間のリンケージが見えなくなったからです。この先、坂道を上る足取りが向かう先にどのような「雲」を描くことができるか。日本の未来はその構想力にかかっていると思います。

（2018年6月7日）

「共謀罪」は「パノプティコン」装置である

Q：「テロ等準備罪」と名前を変えた「共謀罪」を新設する組織犯罪処罰法改正案が2017年5月19日に衆院の法務委員会で強行採決され、自民党・公明党・維新の賛成で可決されました。そのねらいは沖縄の反基地運動を潰していくことにあるのでしょうか？

「一罰百戒」方式

短期的にはそれもあるでしょうけれど、もっと大きく、反政府的な活動すべてに「網をかける」ための法律だと思います。戦前の治安維持法と同趣旨のものです。

ただ、治安維持法として効果的に運用するためには思想警察・秘密警察的な組織、かつての特高や憲兵隊に相当する組織を新たに作る必要が出てきます。既存の公安警察や自衛隊の情報保全隊を改組するにせよ、日本版のゲシュタポを新設するにせよ、かなりの手間とコストがかかります。縄張りを守ろうとする官僚たちからの抵抗もあるかも知れない。

ですから共謀罪は「市民主体」に運用されるだろうというのが僕の予測です。市民が市民を疑い、監視するという相互検察的な運用がなされるのだろうと思います。

中国はネット上の政府批判の検閲をしていますけれど、これは機械的には処理できません（ユーザーはすぐに検閲を逃れる方法を探し出しますから）。だから、これは手作業なんです。検閲官たちの人海戦術の手作業です。その人件費がついに国防予算に迫っているという話を前に中国ウォッチャーの方から聞いたことがあります。でも、日本政府には中国ほどのマンパワーがありません。

ご記憶でしょうが、前回の衆院選挙のときに、在京ＴＶキー局に対して、官邸から「政治的中立性を守れ」という指示が出ました。政府批判に多くの時間を割くような番組を作ることはまかりならんという恫喝でした。でも、この通達が送られたのは東京のＴＶキー局に対してだけでした。僕は大阪のラジオに時々出るんですけれど、その番組のスタッフが怒っていました。政府が番組内容に踏み込んでくる通達がけしからんといって怒っていたのではなくて、その通達が大阪の局には来てないことに怒っていたんです。大阪のＴＶやラジオが何を流そうと、そんなことは官邸にとっては「どうでもいい」ことなんです。官邸が監視し、コントロールしているのは東京のテレビ局と大手メディアだけなんです。官邸だってマンパワーには限界がありますから、ローカル局の番組まではチェックできない。

だから、官邸はとりあえずこれからも「一罰百戒」で来ると思います。政府批判した人間をランダムに選び出して個人攻撃する。一人でいいし、それほど過激な人でなくてもいい。むしろ意外な人選である方がいい。「あの程度のことでも、官邸ににらまれると、あんな目に遭う」という不条理感がメディアの世界に醸成されれば、それでいいんです。

「パノプティコン」というのは英国の哲学者ベンサムが発明した監獄です。中央の監視塔を取り巻くように獄舎が円周に配列されている。獄舎からはつねに監視塔が見えるけれども、監視塔が誰を監視しているかは見えないし、そもそもそこに看守がいるかどうかもわからない。でも、囚人は「自分が監視されているかも知れない」と思うと身動きができなくなる。

「パノプティコン」はコストが最も安い監視システムです。誰が、誰を、どういう基準で、どういう方法で監視しているかわからない。そういうシステムだと監視コストを限りなくゼロに近づけることができる。

「一罰百戒」というのは中国の言葉ですから、古代中国にも同じ発想が存在したことが知れます。同じようなことをしていたのに、ある人だけが処罰され、ある人は見逃される。どういう基準で犠牲者が選ばれるのかがわからない。そうすると全員が怯える。

量刑の基準がはっきりしていて合理性があると、「ここまではやっても大丈夫」という境界線がわかってしまいます。でも、「一罰百戒」にはそれがない。たいしたことをしていない人間を処罰すると、みんなが「自分も処罰されるかも知れない」と怯え出す。それが狙いです。去年、TVのキャスターの国谷裕子さん、岸井成格さん、古舘伊知郎さんがまとめて降板させられました。彼らは別に際立って反政府的な発言をしていたわけではありません。でも、いきなり番組から降ろされた。この程度でも「反政府的人物」のブラックリストに載るのかとメディアは震え上がった。

「一罰百戒」システムのもう一つのメリットは、「本来なら処罰されるべき99人がまだ放置されている」という信憑を市民の間に広めることです。そうなれば「反政府的な人間を探り出して、それに罰を与えるのは政府の仕事を代行することだ。これは公益に資する行いなのだ」と思い込んで、ボランティアで「非国民探し」を行い始める人が出てくる。必ず出てきます。「どんな非道なことをしても処罰されるリスクがない」という見込みが立つと、どれほどでも卑劣で暴力的になることができる人間が社会には一定数います。ふつうは表に出てきませんけれど、今の日本はこの種の人々が活気づいている。

安倍晋三が長期政権を維持できる理由

政府が「反日的な人間が市民社会に紛れ込んで、政府批判をしている」というデマゴギーをばらまけば、市民による市民の監視、市民による市民の排除、市民による市民への暴力行使が始まります。僕が安倍政権を危険なものだと思うのは、警察がいきなり僕を逮捕するようになると思っているからではありません（そうなるまでにはまだだいぶ時間がかかります）。そうではなくて、政府を批判するものは「非国民」であり「国賊」であるから、どれほど非道な仕打ちをしても、政府がそれを許してくれると信じ込んでいる人間を大量に生み出すリスクがあるからです。

去年、相模原市の障害者施設を襲って、19人を殺害し、26人に重軽傷を負わせた男は、事件前に首相と衆院議長に書簡を送って、障害者殺害への「官許」を求め、事件後も「権力者に守られているので、自分は死刑にならない」と語っていました。これは彼の個人的妄想に過ぎませんが、このような妄想を生み出す風土がすでに日本社会に存在するということにはもっと恐怖を感じるべきだと僕は思います。

ゲシュタポは恐ろしいほど効率的な思想警察でしたけれど、彼らは別に自力で内偵や摘発をしていたわけではありません。ゲシュタポが逮捕した人たちの95％は隣人からの密告によるものでした。そして、その多くは個人的怨恨や嫉妬によるものでした。たった一通の密告状で隣人の生活を破滅させられることから全能感や嗜虐的快感を得ていたドイツ人がたくさんいた。そのことをもっと怖がっていいと僕は思います。

同じことは治安維持法下の日本でもありましたし、マッカーシズム時代のアメリカにもありました。「この国の中には、国を滅ぼすことをめざしているスパイたちがうじゃうじゃいる」という信憑はそうやって国民同士がお互いを疑うような分断国家を作り出します。そして、そのときに一通の密告状や一本の密告電話で、一人の人間や一家を壊滅させられると思うと「わくわくする」人間たちがぞろぞろと出てくる。僕はそういう人間を見たくないのです。共謀罪は人間の「醜さ」を解発します。どうしてそんな人道に反することを政府はしたがるのか、僕にはその理由がわかりません。

安倍晋三がこれだけ長期政権を維持できた理由の一つは、彼が人間の「性根の卑しさ」を熟知しているという点にあると思います。どれほど偉そうなことを言っている人間でも、ポストを約束し、金をつかませ、寿司を食わせれば尻尾を振ってくる。反抗的な人間も、恫喝を加えればたちまち腰砕けになる。人間は誰もが弱く、利己心に支配されている。口ではたいそうなことを言っている人間も、一皮剝けば「欲」と「恐怖」で動かせる。この人間「蔑視」において、人間の自尊心についての虚無的な考え方において、安倍首相は歴代首相を見てもなかなか比肩する人が見出し難い。人間の欲心と弱さにフォーカスして政権運営をしているという点では卓越していると言ってよいでしょう。

加計学園の獣医学部新設をめぐり、「総理のご意向」文書は本物と証言した文科省の前事務次官が出会い系バーに通っていたということが読売新聞で報道されました。大新聞が官邸の意を汲んで個人攻撃に加担したこと自体、メディアの末期的徴候ですけれど、それ以上に僕が愕然としたのは、官邸が人間の「弱点」は「下半身」にあり、そこを攻めればふつうの人間は抵抗力を失うという卑俗なリアリズムを政治的利器として利用したことです。

たしかに、それはしばしば有効でしょう（それを最も活用したのはFBI長官を48年務めて、盗聴で集めた下半身ネタで歴代大統領や議員たちの首根っこを押さえたJ・エドガー・フーヴァーです）。けれども、そういう「下半身」情報というのは、これまでの政治の世界では「その情報を公開しない代償として、あることをさせる（あるいはさせない）」というかたちでひそやかに運用されていたものです。醜聞というのは、暴露して相手にダメージを与えることよりも、「暴露しない代わりに自分の意のままに働かせる」方が圧倒的に利用価値が高い。そういう情報操作の常識を知らずに、それを大新聞にリークしてしまった。ということは官邸の情報管理スタッフは素人だということです。

官邸には当然ながらさまざまな機密性の高い情報が集まってきます。それをどうやって効率的に利用するか、どうやって政権維持のために活用するか、それを考えるのが官邸スタッフの仕事のはずですけれども、どうも今の官邸には情報管理のプロフェッショナルがいないらしい。そんなものいなくても少しも構わないのですけれど、それにしても一国の情報機関としてはずいぶんお粗末な仕事ぶりだと思います。

共謀罪については、国連の人権理事会の特別報告者から疑義が提示されました。政府は国連の越境組織犯罪防止条約の批准のために必要だという名目で法案をごり押ししていますが、当の国連のスタッフから「法案が恣意的に適用されるリスク」、「プライバシーと表現の自由に対する抑圧のリスク」についての懸念が表明されてしまった。

官邸はこのクレームを無視する構えですが、特別報告者のジョセフ・カナタチ氏は書簡の中で、共謀罪法案が「国際法秩序と適合しない」ことを指摘し、法案の「改善」のために「専門知識と助言を提供すること」を申し出ています。

官房長官は「抗議する」だけで、どこが「国際法秩序に適合しないのか」、法案のどこに「改善」の余地があるのかを問い合わせてさえいません。日本国内では「木で鼻をくくった態度」でも通るでしょうけれど、国際社会でこれが通るとは僕は思いません。安倍政権はこの件のコントロールを誤ると危機的な状況に立ち至るでしょう。

（2017年9月5日）

なぜ東京都民は不適切な人々を知事に選び続けるのか？

Q：小池百合子が新しい東京都の知事になって、築地市場の豊洲移転に関わる盛り土問題がクローズアップされています。でも、その前に舛添要一前都知事が本当に辞任する必要があったのか、今でも疑問でモヤモヤしています。

石原元知事には頬被りした

舛添要一前知事が辞任に値するほどの罪を犯したのかということについては僕は否定的です。たしかに、高位の公務員である以上、一般市民以上の道徳性が求められるのは当然ですけれど、辞任前の舛添前知事へのメディアの攻撃はほとんど「猫が鼠をいたぶる」ような執拗さで、僕は気分が悪くなりました。

たしかに公費を使って『クレヨンしんちゃん』を買ったり、家族旅行で行った温泉の費用を会議費で落としたりするのは「せこい」とか「けち」とかいう非難を浴びて当然ですけれど、それが知事を辞任しなければならないほどの損害を都民に与えたとは思いません。

東京都知事は聖人君子のモデルを提示するために選出されたわけではありません。行政官としての能力、実行した政策の適否によって判断されるべきであり、その点についての検証が舛添前知事の場合はほとんどなされなかったことが僕はむしろ問題だと思いました。

政策の適否についての検証という点でいえば、お咎めなしで退職した石原慎太郎元知事についてメディアはどこまで追及したでしょうか。舛添前知事に対する執拗さと意地悪さの百分の一も示さなかったのではないか。

選挙公約の目玉だった新銀行東京はわずか3年で累積赤字1000億円を抱えて倒産し、尖閣列島の都有地化を言い出して日中関係に致命的な傷を与え、「豪遊」や公費の濫費による飲み食いや身内への利益供与など枚挙に暇がないほどのトラブルを重ねましたけれど、メディアは石原知事には頬被りをしたままでした。

今回は築地市場の移転問題で石原都政の乱脈ぶりがしだいに露呈されてきましたけれど、これだって石原慎太郎の政治的影響力が低下したので「今なら叩いても、それほど厳しい反撃が来ないだろう」ということで、及び腰でこわごわ叩いているようにしか僕には見えません。だから、これから先、官邸筋からでも与党筋からでも「いい加減にしろ。それ以上やるとこちらに火の粉が飛んでくるから」という一喝があれば、メディアは縮み上がって「なかったこと」にするでしょう。

石原慎太郎から「禅譲」された猪瀬直樹もひどい知事でした。僕が覚えているのはオリンピック招致のときに、競争相手都市を口汚く罵ったことです。猪瀬はイスタンブールが低開発で、五輪を招致する資格がないと言った上、「イスラーム諸国が共有しているのはアラーだけである。彼らは互いに戦争をしており、階級に分断されている」という問題発言を行い、「日本文化はユニークであり、他国に優越している」という「日本スゴイ」の見解を披瀝（ひれき）したのちに「トルコ国民が長生きしたければ、日本のような文化を創造すべきである」という暴言まで発しました。さすがに海外メディアはこの不見識をきびしく咎めましたが、五輪招致という「世界各国の人から好印象を持たれる」ための活動で、ここまで嫌悪感を持たせる発言をなしえたことはこの人の「お人柄」というしかありません。

石原、猪瀬、舛添と3代にわたって都知事には「問題のある人」が続きました。なぜ20年にわたって都民は「問題ある政治家」を彼らの代表に選び続けたのでしょう。僕には理由がよくわかりません。にもかかわらず「なぜ東京都民は不適切な人々を知事に選び続けるのか？」という検証記事を僕は読んだ覚えがありません。

「なぜわれわれは不適切な統治者を繰り返し選んでしまうのか？」という反省を誰もしないまま、同じ有権者が投票するなら、「次の知事」もまた前の3人と同じように「不適切」な人物である蓋然性は高い。

東京の自治が底抜けになる理由

東京の有権者たちはたぶん「どれくらいファンタスティックなことを語れるか」を基準にして知事を選んでいるだろうと思います。自治体としてのサイズが大きすぎるせいで、具体的な政策の適否を点検することができない。だから、シンプルでカラフルな大風呂敷を拡げる政治家を選好してしまう。

しばしば指摘されることですけれど、東京の自治が底抜けになる理由の一つは「地方紙がない」ことです。都区議会での審議内容や、都区の具体的な施策について報道し、分析し、解説することを「本務」とする媒体も記者も東京には存在しません。他の国なら一国規模の予算を執行する都という巨大な統治機構が日々何をしているのか、都民は「かやの外」に置かれている。

地方紙の消失は数年前にアメリカでも大きな社会問題になりました。地方紙のない地域では、自分の住んでいる街のできごとについての報道がありません。小さな街では地方紙が消えて、記者が役所や議会や学校や警察や裁判所に行って、取材することがなくなると、たちまち「取材空白域」が発生する。

カリフォルニアのベルという街では、地元紙が1998年に休刊になり、以後地元のできごとを報道するメディアがなくなると、これさいわいと市の行政官は５００万円だった年間給与を十数年かけて段階的に12倍の６４００万円まで引き上げました。議員も公務員もお手盛りで給与を増やしていましたが、住民は誰もそのことを知りませんでした。十数年にわたって新聞記者が市議会を傍聴していない状態が続いたからです。東京都議会は「伏魔殿」と呼ばれているそうですけれども、たぶんその理由の一つは「東京の地方紙」が存在しないことでしょう。

これから東京は少しは「まともな街」に戻るのでしょうか。僕はあまり楽観的にはなれません。

（２０１６年12月４日）

「パン屋」と「和菓子屋」とマウンティング

Q：文部科学省前高等教育局長の早稲田大学への再就職について、文科省が組織的に「天下り」をあっせんしていたことが問題になりました。森友学園問題は小学校の設立をめぐっての国有地不正取引事件ですけど、最近、教育機関を舞台にした不祥事が目立つのはどうしてなのでしょうか。

社会的共通資本には「後がない」

あらゆる制度が経年劣化を起こしていますので、学校だけがとくに不祥事が多いとは思いません。でも、学校とか医療機関とか警察とかは不祥事が目立つんです。目立つように制度ができている。だって、「子どもを成長させる」「病人や怪我人を癒す」「正義を実行する」というのは人間社会の基盤中の基盤じゃないですか。こういう「それなしでは人間社会が立ち行かない制度」のことを「社会的共通資本」と呼びますが、これが崩れたら後がない。だから、それだけ厳しく、専門的に管理運営されなければいけないのです。その点が政治とかビジネスとかメディアとかとは違うんです。政治やマーケットでは、多少の不祥事があっても、それでいきなり人間社会の根幹が崩れるということはありません。でも、学校や医療や司法が崩れて、制度が信じられないということになると、人間は不安で1日も生きてゆけない。

学園ドラマ、病院ドラマ、刑事ドラマが多いのは、それらがいずれも身近で、日常的に接する職場でありながら、「一度社会的信用を失ったら、おしまい」という緊張感に貫かれた場だからです。非能率な自治体とか、セクハラおやじばかりの政党とか、非正規雇用をこき使うブラック企業とか誰もドラマにしないでしょう？　しても見たくもないし。それは、そんなところでなら、誰がどんなミスを犯しても、悪事をなしても、それでいきなり社会の根幹が崩れるということはないからです。だから、どんなワルモノが出てきても、彼らが教育、医療、司法にちょっかいを出さない限り、さしたる劇的緊張を感じることができない。僕たちが「おい、それはないだろう」とこめかみに青筋を立てて座り直すのは、教育と医療と司法に関してワルモノが勝手なことをしだした場合です。それは、それらの場所がある種の「聖域」だからです。

そう考えれば、森友学園問題で国民がナーバスになった理由もわかると思います。学校教育に巨額の金が絡んだり、特定の政治イデオロギーが絡んだり、権力者におもねる官僚の出世欲が絡んだり、ということに人々は強い違和感を覚える。学校は「そういうこと」にかかわってはいけないという常識が働いた。民間企業が粉飾決算をしたり、政治家や官僚にわいろを送ったりということにはそれほど動じない人たちも、学校や病院や警察が「そういうこと」をすると強い不安を感じる。その差は、不祥事を起こした組織が、「人間が集団的に生きてゆく上で安定的に管理されていることが絶対に必要なもの」であるかどうか、その必要度の違いを映し出しているんです。

お気づきの人もいると思いますけれど、学校、病院、警察の不祥事はその多くが「内部告発」によるものです。制度を悪用したり、果たすべき使命を果たしていない同僚がいることを「許せない」と感じる人が組織内部にそれだけいるのです。組織がそのせいで面子をつぶしても、それでも組織の「健全さ」を守る必要があると思う人がそれだけ多くこれらの組織には含まれている。

そういうことは政党とか営利企業とかではありません。内部告発者が多く発生する組織というのは、「この組織は、大局的な国民の利益を配慮して、私利や私見に惑わされることのない専門家によって、クールかつテクニカルに管理されなければならない」と信じているメンバーをそれだけ多く含んでいるということです。だから、学校や医療機関や警察についての不祥事が頻発する。そういうことじゃないかなと僕は思っています。

天下りのマッチポンプ

文科省の天下りが問題になりましたけれど、文科省って実はあまり利権のない官庁なんです。せいぜい退職後に大学の教授や事務長や理事になれるくらいで。

でも、文部官僚が天下りしてくるというのは大学にとってはけっこうありがたいことなんです。というのは、文科省が出す通達とか、助成金の申請要綱って、意味がよくわからないから。何をして欲しいのか、どうすれば助成金がもらえるのか、よくわからない。だから、その「暗号」を解読してくれる専門家がいると大学はすごく助かるんです。「この文書は行間を読むと、『こういうことをしろ』という意味です」と解読してくれる天下り文科官僚がいたら、会議や書類作りのための労力と時間が大幅に節約できる。それで浮いた教育研究資源はたぶん「天下り」さんに払う給料の何十倍にもなる。だから、規模の大きい大学は「天下り歓迎」だったんじゃないんですか。

でもそれを逆から言うと、文科省は「暗号解読の専門家がいないと解読できない通達」や「事情通がいないと申請の仕方がわからない助成金」を出し続けることで、文科省の出す「クイズ」をさらさらと解ける「天下り」の雇用を創出しているとも言えるわけです。こういうのを「マッチポンプ」と言うのですが、日本の官僚の質の劣化がしみじみ知れる話です。

今年の教科書検定では、小1向けの道徳の教科書に「パン屋」が出てくるのを、文科省から「我が国や郷土の文化と生活に親しみ、愛着を持つことの意義を考えさせる内容になっていない」との意見が付けられ、教科書会社が「パン屋」を「和菓子屋」に変えたら検定を通ったということで問題になりました。

これは二重の意味で検定という仕組みの退廃を露呈した事件だと思います。

一つは、教科書会社が検定官の知性を「見くびっていた」という点です。クレームがついたので、「パン屋」を「和菓子屋」に変えてみせたというのは、言い換えれば「検定官というのはその程度の書き換えで合格を出す程度の知的レベルだ」ということを教科書会社の側が知っていたということです。教科書を作っている側に知的に見くびられている人々が検定にかかわっているということ、これが退廃の第一です。

でも、第二の退廃の方がもっと深刻です。それは「パン屋」を「和菓子屋」に書き換えるというのは、誰が考えてもまったくナンセンスな修正だということです。パン食だって日本の食文化に深く根付いた誇るべき伝統文化である点で、和菓子と変わらないことくらい、教科書会社だってわかっていたはずです。でも、その「無意味な修正」をしないと検定に通らない。つまり、検定制度は、教科書の記述の適否を判断するためのものではなく、教科書会社に対して「どちらがボスか」を教え込むための「マウンティング」の装置として働いていたということです。

権力者がその権力を誇示する最も効果的な方法は「無意味な作業をさせること」です。合理的な根拠に基づいて、合理的な判断を下し、合理的なタスクを課す機関に対しては誰も畏怖の念も持たないし、おもねることもしません。でも、何の合理的根拠もなしに、理不尽な命令を強制し、服従しないと処罰する機関に対して、人々は恐怖を感じるし、つい顔色を窺ってしまう。

今の日本の権力者たちは他の点では多くの問題を抱えておりますけれど、「マウンティング」の技法には熟達しています。

今回わかったことは、検定制度とは、無意味なクレームをつけて無意味な修正をさせることによって教科書の作成者たちに無力感を与え、権力に反抗することは不可能だということを教え込むための制度だということです。

（２０１７年７月26日）

安倍首相の改憲案は「国民的な議論に値する」か？

Q：日本国首相ではなくて自民党総裁としての安倍晋三が、2017年5月3日憲法記念日に憲法改正派の集会へ向けたビデオ・メッセージで、突如、独自の憲法改正案を表明しました。9条1項と2項の平和主義の理念を堅持しつつ、自衛隊の存在を憲法上にしっかりと位置づける。それによって、「自衛隊は違憲かも知れないけれども、何かあれば、命を張って守ってくれ」というのは、あまりにも無責任」な状況をなくすというものです。これは「国民的な議論に値する」と思ってしまったのですが、内田先生はどう思われますか。

9条も自衛隊もアメリカが押し付けた

憲法を改正した場合に、どういうメリットがあり、どういうデメリットがあるかを計量的に考えるのが「大人の態度」だと僕は思います。自衛隊の合憲性を憲法に書き加えることによって日本の安全保障上のメリットが増大するということが今の段階で証明できるなら、それはひとつ議論の種にはなるでしょう。

9条改憲論を吟味するためには二つの水準があります。一つは法律条文を矛盾のないように整えるという「理論」の水準。もう一つは安全保障上のメリットを高めるという「実践」の水準。それぞれについて僕の意見を申し上げます。

9条2項(「陸海空軍その他の戦力は、これを保持しない。国の交戦権は、これを認めない」)と自衛隊の存在の間には確かに「不整合」があります。これをどうやって「つじつまを合わせる」か、これは戦後ずっと日本政府を悩ませ続けてきた問題でした。

そして、これまで司法府は、安保条約や自衛隊のような「高度の政治性をもつ国家行為」については合憲・違憲の判断を控えるという「統治行為論」で問題の判定を「棚上げ」してきました。「整合しているか、整合していないか、言わない」ということです。

同時に、歴代の政府は9条2項は「個別的自衛権までは否定していない」という解釈を採用して、自衛隊は「専守防衛」の「自衛力」であって、「戦力」ではないから、違憲ではないという説明をしてきました。

どちらも苦しいと言えば苦しい説明です。司法府は「自衛隊が合憲か違憲かは判断しない」と言い、行政府は「自衛隊は戦力ではないので、違憲ではない」と言う。どちらも無理がある。

ただ忘れてはならないのは、憲法9条も自衛隊も、どちらもアメリカが「作れ」と言って日本に押し付けたものだということです。

アメリカからすれば9条と自衛隊の間には何の矛盾もありません。日本を軍事的に「無害化」しようと思ったので9条2項を書き込み、その後、日本を軍事的に「再利用」しようと思ったので自衛隊を作らせた。それだけのことです。この朝令暮改はアメリカから見れば論理的には首尾一貫しています。それは「アメリカ・ファースト」ということです。自国益が最優先。日本国内での「つじつま合わせ」なんか知るかよ、ということです。

でも、吉田茂以来の歴代政権はこの「不整合」を逆手にとって、アメリカの軍略に自衛隊が組み込まれることを回避してきました。「うちには憲法9条があります」という建前でアメリカからの「日本も軍事協力しろ」という要請を繰り返し拒絶してきた。おかげで日本は戦後72年間一度も海外の戦争に巻き込まれずにきました。侵略をせず、されもしなかった。ですから、安全保障の実利面に限定して言えば、この「不整合」はうまく機能してきたということです。

抑止力は現に働いている

ただし、9条2項と自衛隊の「つじつま合わせ」という複雑なシステムを操作するためには高度な政治技術が必要でした。ですから、そのような複雑な操作ができる「大人の政治家」が日本では久しく国政を担当してきたということです。

今の改憲論者が主張しているのは、平たく言えば、「大人の政治家がいなくなったので、そういう複雑な操作はもうできなくなりました」ということです。三権分立も両院制も「そういう複雑なことはわからないから、話を簡単にしてくれ」と訴えるような人たちですから、改憲論が出てくるのも当然です。でも、自分には複雑な政治技術を運用できないから、システムそのものを「自分のレベル」に合わせてほしいというのは、いくらなんでも虫がよすぎるのではないかと僕は思います。

もちろんシステムが簡単であるというのは一般的には「よいこと」です。でも、「複雑だが今のところうまく機能しているシステム」をあえて廃絶して、「単純なシステム」に切り替えるという場合、今のシステムで確保できているアドバンテージについては引き続き確保できる保証が必要です。でも、残念ながら「それは保証します」と言ってくれる人は改憲論者にはいません。

安全保障関連法案を上程したとき、安倍首相はこの法律を通せば、「抑止力はさらに高まり、日本が攻撃を受ける可能性は一層なくなる」と述べました。しかし、これは非常に問題の多い言葉です。というのは戦後72年間、日本は外国からの侵略を受けていないからです。抑止力は現に働いている。その抑止力が「さらに」高まると言う。そのときの「さらに」とは何を基準にして「さらに」なのか。いかなる数値を基準にして首相は抑止力の増減を計量しているのか。

このとき唯一示されたのが「国籍不明の航空機に対する自衛隊機の緊急発進（スクランブル）の回数が10年前と比べて7倍に増えている」ということでした。それは「抑止力が効いていないから」と説明された。

でも、スクランブル回数を抑止力の指標にとることには無理があります。確かに、スクランブルは２００４年（１４１回）に比べると２０１４年は上半期だけで５３３回に増えました。でも、それ以前の１９８０年代には年間９００回を超える年が3回、８００回を超える年が5回あった。首相はいったいいつの時期のどの数値と比べて抑止力が増減したと考えているのか。もし、スクランブル回数の減少が抑止力の「成果」だとするなら、１９８４年の９４４回から、２００４年の１４１回に至る劇的な減少も抑止力の効果として解釈しなければならない。では、その時期にはいかなる政策が抑止力の劇的向上をもたらしたのか、その理由を解明することが国防上の急務になる。でも、首相はそんなことには何の関心も示さない。

９条を空洞化するメリットとは？

それどころか、安全保障関連法案を強行採決した後、２０１６年のスクランブル回数は

１１６８回、堂々の戦後最多を記録しました。スクランブル回数の多さが「抑止力が効いていない証拠」であるという安倍首相の説明を信じるなら、この法整備によって日本の抑止力は大きく減殺されたことになります。でも、これについて納得のゆく説明を僕は政府からもメディアからも、聞いた覚えがありません。

実践的な問題は安全保障です。抑止力を高めることは国防上の必須です。でも、抑止力というものの働きについても、それはどうやって計測するものかも「よくわかっていない」という政治家が、次は抑止力を高めるために改憲すると言っても、僕は簡単に同意することができません。

僕が首相にお聞きしたいのは、９条を空洞化するとどういう安全保障上のメリットがあると考えているのか、その「メリット」は何をもって考量できると思っているのか、それだけです。そちらから持ち出したのだからスクランブル回数の増減でもいいです。改憲の動きが始まり、９条２項を空文化するとスクランブルが激減するという確かな見通しがあるならそれを約束してほしい。中国や韓国や北朝鮮との外交関係で日本の言い分がどんどん通るようになるという確かな見通しがあるなら、それを約束してほしい。それが約束できないなら、うかつなことは言わないでほしい。それだけです。

安全保障の問題は神学論争じゃありません。軍事的な侵略があるかないか、国富を奪われ、国民が傷つくことがあるかないかという具体的な問題です。抑止力というのは「気分」の問題じゃなくて、侵略の危機をどう抑制するかという「現実」の問題です。そして、とりあえず日本国憲法の下では侵略されたという事実はない。それでも抑止力が足りないと言うなら、どの国がどういう理由で、どういうかたちで日本を侵略する可能性があるのか、まずそれを明らかにし、その上で個別的な対策を講じるべきでしょう。

中国が日本に侵略してくると本気で思っているのなら、それに対応する政策を考えればいい。平時にできる最も効果的な抑止は「日本と軍事的に対立するより、友好的な関係を保ち続ける方が中国にとってメリットがある」という状況を創り出すことです。現に中国と緊密な経済的交流があり、文化交流があり、観光客の行き来がある。ならば、「日本といい関係を保持したい」という中国人の数を一人でも多くしてゆくことこそ「最大の抑止力」ではないでしょうか。

北朝鮮のミサイルが飛来すると本気で思っているなら、まず日本海岸の原発をただちに停止するのが安全保障上の最優先課題でしょう。でも、そんな様子はない。どうやら国防より「目先の銭金」の方が優先しているように見える。国民の命について真剣に考える習慣のない人たちに安全保障については語ってほしくない。僕が言いたいのは、それだけです。

（2017年9月9日）

安倍政権は「態度の悪さ」で国民的な支持を失った

Q：「森友学園」への国有地売却の決裁文書が書きかえられた疑いがあるという2018年3月2日の朝日新聞の報道を受けて、財務省が文書の改ざんを認め、事態は急展開を見せています。内田先生が以前から、モリカケは「うやむやには終わらないでしょう」と予想されていた理由について改めて教えてください。

「情理を尽くして語る」態度の欠如

「祇園精舎の鐘の声」は「盛者必衰の理をあらわす」と言います。どれほど権勢を誇る政治家でもいつかは衰運の秋を迎えます。安倍政権も最終的には政策的な失敗によってというよりは、その「態度の悪さ」で国民的な支持を失ったのだと思います。

官邸前のデモに取材に行った方たちの話を聞くと、「怒りのあまり」デモに来たという人たちがずいぶん多かったそうです。不出来な法案や不適切な外交については「批判的になる」ことはありますけれど、感情的な「怒り」として表現されることはありません。人が本気で怒るのは「人として許せない」という感じがしたときです。今の政権への国民の「怒り」は個別的な出来事に対してというものよりも、それを取り扱うときの政治家や官僚たちの「態度の悪さ」に対するものだと思います。なかなかこちらの立場や言い分を先方にご理解頂けないという場合、僕たちはふつう「情理を尽くして語る」ということをします。できる限りわかりやすく、論理的で、筋の通った話をしようとする。

でも、今の政権周りの人たちはこの「まことにわかりにくい話」を国民にわかってもらわなければならない立場にありながら、「情理を尽くして語る」という態度をとっていない。むしろ、木で鼻をくくったような無作法な態度に終始し、説明の手間を惜しみ、前後のつじつまの合わない話を平然と垂れ流している。

それは「そういう態度」をとっても誰からも叱責されない、誰からも処罰されないと思っているからです。たしかに、そういうことが5年間続きました。彼らの経験則は「腰を低くしたら相手がつけ上がる、だから、あくまで自分にはまったく非がなく、説明責任もないという態度で押し通した方がいい」と教えています。これまではそうやってうまく行った。だから、今回もそうする、と。

この推論そのものは合理的です。でも、彼らが忘れていることがある。それは人間には「受忍限度」というものがあるということです。「ええ加減にせんかい」ということがある。

これは「あなたの言っていることは間違っている」という正否の判断とはレベルの違う言明です。

『昭和残侠伝』で花田秀次郎は悪いヤクザの理不尽な仕打ちにある時点までは耐えますけれど、ある時点で「死んで貰うぜ」に切り替えます。この切り替えは「あなたの言動はただいま私の受忍限度を超えました」という身体実感によって決されます。ことは原理の問題ではなく、程度の問題なのです。

特定秘密保護法も、集団的自衛権の行使容認も、安保法制も、共謀罪も、国民多数の反対を押し切って採択されましたが、直後に下がった内閣支持率はそのつど持ち直しました。でも、今度はさすがにそういうことは起きないだろうと思います。森友学園問題は政治的重要性という点から言えば、これまでの政策をめぐる議論に遠く及びません。でも、この「政治的重要性において劣る事案」で安倍政権は崩れると僕は思います。それは政権担当者たちの「態度の大きさ」が国民の受忍限度を超えたからです。

財務官僚たちの恨み

その「怒り」は思いがけないことですけれど、霞が関の官僚たちからもやってきました。内閣人事局に官僚人事を握られ、官邸におもねる役人が抜擢され、苦言諫言(かんげん)を呈する役人は左遷されるということが5年間続いて、官僚は「おべっか使い」ばかりになったように見えました。でも、森友学園問題は内政とも外交ともまったく何の関係もありません。例えば、法案についてであれば、多少反対や抵抗があっても「国民は政府を批判しているけれど、この政策は長期的には国益に資するのだ」という正当化が可能でした。

でも、森友学園問題には正当化の根拠が何もない。あるとすれば「財務省は籠池氏の教育理念に破格の公的支援を与えることが国益に資すると判断した」という正当化の仕方しかない。さすがの財務省も口が裂けてもそれは言えません。自分たちがしたことを正当化するロジックが何もない。これは前代未聞の論理的窮地です。財務省はそこに追い詰められました。「日本で一番頭がいい」と思っている財務官僚たちにとっては耐えがたい屈辱でしょう。その恨みはやがて「そんな立場に彼らを追い込んだ」官邸の非道に向けられるようになる。きっとそうなると僕は思います。官邸に対するこの恨みは自民党の政治家たちが思っているよりずっと深い。

先日来、文科省からも厚労省からも、そのつどの内閣の言い分を覆すような「リーク」が続きました。これは官邸に対する官僚たちの抵抗だと思います。今はまだ散発的ですが、いずれ組織的なものになると僕は予測しています。

怒りはメディアからも到来しました。政権の「広報機関」だと罵倒されてきたNHKがしばらく前からニュースで政権批判の動きをかなり克明に伝えるようになりました。外部からでは想像するだけですけれど、おそらくニュースをこれまで政権寄りにコントロールしていた人たちがここに来て急激に力を失い、冷や飯を食わされていた人たちが現場を仕切るようになったからだろうと思います。

こういうふうに堤防が決壊するような仕方で「怒り」が噴出してきたら、僕はもう流れは変わらないだろうと思います。答弁の口裏合わせのためのシナリオ執筆も、官僚人事も、メディアコントロールも、手間と暇がかかるからです。今の官邸には一気に増えたこれらの仕事をハンドルできるだけの人的リソースがありません。

誤解している方が多いと思いますけれど、官邸にも行政府にも「国民を監視する」ためだけに割けるほどの人的リソースはありません。少しでも反政府的な言動があれば、見つけ出して「畏れながら」とお上に届け出て処罰を加えるという実務を実際に担当しているのは、あらゆる組織に散らばっている「鉄棒曳き」たち——戦時中の「隣組」的なマインドを持つ市民たちです。

でも、こういう「鉄棒曳き」たちは潮目が変わると蜘蛛の子を散らすように姿を消します。それは「ネトウヨ業界界隈」の論客たちのこのところの静まり具合を見ればわかると思います。彼らはもちろん反省しているわけでもないし、自説を撤回したわけでもない。でも、いまのところは「不届き者をお上に訴え出る」という仕事を自粛して、しばらくは様子見をすることにした。もし政権が衰運ということなら、「泥舟」と一緒に沈みたくはないので、きょろきょろしている。反政府的言動を網羅的に監視するこの「人的リソース」の供給源が今、一時的に休止している。

こういうことが同時多発的に起きている。それを僕は「潮目の変化」と見立てているわけです。内閣総辞職があるかどうかはまだわかりませんが、「安倍三選」の目は九分九厘消えたと思います。

（2018年5月20日）

沖縄の玉城デニー新知事の「ディール」

Q：2018年9月30日に実施された沖縄県知事選挙で、翁長雄志前知事の方針の継承を掲げた玉城デニー氏が圧勝しました。沖縄の民意はまたもや普天間飛行場の「辺野古への移転ノー」を訴え、その民意を携えて玉城新知事は安倍晋三首相と面会。その翌日、安倍首相は辺野古への移転推進を強調しました。沖縄県の埋め立て承認撤回という最後の策も、防衛省が申し立てた撤回の効力停止を国交省が最短で認めたことで、もはや打つ手がないのではないでしょうか。

アメリカの世論を動かすという手立て

日本政府の方針は変わらないと思います。民意は辺野古移転反対を表明したわけですけれど、安倍政権はこれを無視して埋め立てを強行するはずです。

安倍政権は翁長知事時代から「沖縄の民意には一切耳を貸さない」という態度を貫いて

きました。そうして「ゼロ回答」を続けているうちに県民はしだいに無力感にとりつかれ、県内世論は分裂しました。「もう何をやっても事態は変わらない。これ以上抵抗して『沖縄いじめ』が強化されるより、むしろ政府に譲歩して、少しでも補助金や助成金を引き出すほうが合理的だ」と考える県民が増えてきた。自公はそれに乗じて勝つつもりでした。

でも、結果は「辺野古移転反対」を掲げた玉城候補が圧勝した。政府にとっては予想外だったと思います。でも、だからといっていまさら県との話し合いに応じるとは思えない。民意を無視して、県内世論が分裂するのをひたすら待つというこれまでの作戦を継続するはずです。

玉城新知事がこのデッドロックを乗り越えるために、アメリカの世論に直接働きかけるという手立てがあります。これは有望かも知れません。ニューヨーク・タイムズは、選挙後に「USマリーンの子どもが沖縄のガバナーになった」という記事を掲載しました。日米の両方にルーツを持つ人物が沖縄県知事になったことが「和解」のきっかけになるのではないかという期待をにじませた記事でした。

アメリカだって、沖縄の基地問題はそろそろ解決したいと思っているんじゃないでしょうか。朝鮮半島の緊張が緩和すれば、沖縄に海兵隊を常備させることに軍事的な必然性は減ります。海兵隊というのは敵前上陸用の兵科なんですからね。いったいどこを急襲するつもりなんですか？　中国大陸ですか？　ロシアですか？

自衛隊は離島を中国軍が占領して、日米の海兵隊がそれを奪還するというシナリオで訓練をしているそうですけれど、中国が日本領土を占領して、アメリカと戦争を始めるというのは、可能性のきわめて低い想定だと僕は思います。そんな戦争、アメリカにとって何のメリットもありませんから。アメリカの若者たちが無人の岩礁の領有権のために死ぬことをアメリカの世論は許さないでしょう。

何よりトランプ自身、戦争嫌いなんじゃないかと僕は見ています。あの人はリバタリアンだから。リバタリアンは徴兵と徴税が嫌いなんです。政府が自分の金を取り上げることも、自分の命を自由に使うことも、どちらも忌避するのがリバタリアンです。だから、トランプ自身は兵役に行ってない。大統領選挙期間中には連邦税も払ってなかったことが暴露された。徴兵に応じない、徴税に応じないというのはリバタリアンの本領なんです。アメリカ史上、軍務に就いたことも公務員経験もない大統領はトランプがはじめてです。

たぶんトランプは軍隊も戦争も嫌いなんだと思います。口では強いことを言いますけれど、これまでも全部「はったり」でしたよね。戦争が始まって、軍人が主導権をとって、大統領が軍人のテクニカルなアドバイスに従うという状況はトランプにとっては耐えがたいのだと思います。軍人たちの政治的プレゼンスを掘り崩してゆくというのはトランプの戦略のはずです。だから、話の持っていきようでは、沖縄の米軍基地の縮減ということは可能性としてあり得る。玉城知事がこれからアメリカ相手にどういう「ディール」をするか、僕は興味をもって注視してます。

（2019年1月14日）

次の首相に小泉進次郎はあり得るか

Q：日本経済新聞社とテレビ東京が2019年9月11～12日に実施した世論調査で、次の首相にふさわしいのは誰かを聞いたところ、自民党の小泉進次郎環境相が20％で最も多く、2位は安倍晋三首相の16％、3位は石破茂元幹事長の15％だったそうです。内田先生は誰がふさわしいと思いますか？

山本太郎にも可能性はある

次の日本の総理大臣に誰がなるのかは今、世界が注目していると思います。内閣改造の後、韓国のメディアからメールで質問が来ましたが、5つの質問のうち、3つが小泉進次郎についてのものでした。それだけ注目度が高いということです。

山本太郎にも総理大臣の可能性はあると僕は思っています。ただあるとしても「次の次」でしょう。

日本新党は1992年に結党して2カ月後の参院選で4議席、翌年の衆院選で35議席を獲得して、細川護熙政権ができた。結党から1年で38年ぶりの政権交代を成し遂げたわけです。勢いがあるというのはそういうものです。

ただ、今と大きく違うのは、日本新党が出て来たときの日本はまだ経済的にも力があったし、社会全体に活気があったことです。メディアにもきびしい批評性があった。今の日本には経済の勢いもないし、社会全体が流動性を失って停滞しているし、何よりメディアに批評性がない。だから、仮に前代未聞の新しい社会的変化が起きてきても、それに気づくことも、適切に解釈することもできないと思います。

直近の参院選挙での自民党の比例代表の絶対得票率は16・7%でした。これが国民の中の「自民党支持者」の実数だとみなしてよいと思います。それだけの支持者しか代表していないにもかかわらず、自民党が長期政権の座にいられるのは、50%以上の有権者が棄権しているからです。棄権者たちは、自分たちが投票してもしなくても世の中は「変わらない」と思っている。変化に対するこの冷笑的態度は、実は彼らの情報感度の低さがもたらしたものです。新しいものに対する感受性が鈍磨しているのです。ですから、日本新党のときのような劇的な変化は期待できない。

とはいえ、さすがに安倍政権に対する「膨満感」は限界まで来ていると思います。国民を惹きつけるような政策がもう何もない。アベノミクスのことも、財政規律のことも、経済成長のことも言わなくなった。拉致問題も北方領土問題も何も解決できなかった。日韓関係は史上最悪レベルで、トランプにはただ追従しているだけで、国民から吸い上げた税金をばら撒いている。そんなものを外交とは言いません。東京五輪で気分を盛り上げて、改憲につなげようとしていますが、東京五輪は歴史的な失敗に終わる。これは断言できます。だって、責任を取ろうという人が一人もいないんですから。組織委員会も、五輪担当相も、東京都知事も、どうやって失敗の責任をよそに押し付けようか、始まる前からそればかり考えている。

トップが「俺が責任を取るので、現場は自己裁量で最適な対応をしてくれ。高度の判断を要する事案だけ上げてくれ」と権限委譲すれば、トラブルの発生は最小化します。これは組織論の基本です。でも、今の五輪の運営組織には、責任を取る人がいない。何かまずいことが起きたら必ず一番下の現場の人間に責任が押し付けられるのがわかっている。それなら、誰も自己責任では動きません。現場判断でできることでも、すべて上の許諾を待つようになる。臨機応変に現場判断することが許されないと、クレームがあっても、異物がみつかっても、トイレが詰まっていても、そのつど「ちょっと上に聞いて参ります」ということになる。非効率この上ない。

猛暑の季節ですから、選手も観客も熱中症のリスクがある。お台場の海はとても泳げるような水質ではない。期間中に、トラブルが多発するでしょうけれど、現場がケースバイケースで適切に対応するという作法を現代日本社会は根絶してしまった。「ほう・れん・そう」というのは要するに「現場は判断するな」ということですから。２０２０年東京五輪は日本型組織の「致死的症例」としていずれ組織論の教科書に載ることになるでしょう。

進次郎を担げば自民党票は増える

話を戻しますと、次期首相に小泉進次郎ということはあり得ます。財界やメディアは既得権益を維持したいので、菅官房長官の方が好ましいかも知れませんが、国民からすると、安倍晋三から菅義偉では代わり映えがしない。有権者は政策の適否を言っているわけではなく、トップの顔つき語り口に「飽きた」わけですから、菅をトップにすげ替えても自民党の支持率は上がらないでしょう。「飽きた」という感情は抑制できません。自分自身がそのシステムの受益者であっても、人は飽きるんです。

でも、今の日本人はあらゆる点で感受性が鈍磨しているので、「飽きるという能力」さえ減退しています。無能無策な政権が6年以上も安泰でいられるのは、日本人の「うんざりする能力」が劣化しているからです。

だから、小泉進次郎を担いで「目先を変えた」場合に、自民党の得票が跳ね上がるということはあり得ます。その場合、菅は副総理格で「振り付け」をするポジションに就くでしょう。政策も人事も自分が握って、進次郎には日本列島を行脚（あんぎゃ）して、自民票の掘り起こしを任せる、と。そういう分業をめざしているんだと思います。

小泉進次郎は争いが嫌いです。だから、人の話の腰を折ったり、ヤジを飛ばしたり、相手を論破して面目を丸つぶれにするというような「下品」なことはしない。党首討論でも、たぶん黙って相手の話を聴いて、「先生のおっしゃることにもたしかに理はあると思います。これから十分検討したいと思います」とスルーするというような術を使うと思います。野党からするとある意味では攻めにくい政治家です。特にやりたいという政策もないし、これだけは譲れないという政治信条もない。でも、小泉進次郎を担げば、自民票は増える。だから、当落線上にいる候補者たちは「菅よりも、石破よりも、進次郎がいい」が本音だと思います。「明日の米びつ」がかかってますからね、彼らだって必死ですよ。

Q：ヤフーなどでニュースを見ていると、そのニュースの終わりに、あなたはそう思うとか思わないとか、書き込み欄があります。世間全体が世の中に対してお茶の間評論家になっている気がします。そのわりには成熟した民主主義にはほど遠い昨今ですが、成熟した市民とはどうあるべきか、内田先生の最新版のご意見をお聞かせ願えれば幸いです。

何が事実で何がフェイクか

最近の「フォーリン・アフェアーズ・リポート」に「ディープ・フェイク」の話が出てました。ＡＩによるパターン複製技術が長足の進歩を遂げたおかげで、実在の人物とまったく同じ声、同じ表情をしたフェイク画像が作れるようになったのです。昔だったら、ハリウッドの映画スタジオやＣＩＡのような巨大な設備と予算を持っているところしか作れなかったようなフェイク画像がＰＣで簡単に作れるようになった。ほんものそっくりの「なりすまし」映像や音声をじゃんじゃん捏造（ねつぞう）できるようになる。そうなると、何が事実で何がフェイクかを識別することが技術的にはきわめて困難になります。

テロ組織のような非国家アクターにとって、これはすばらしく使い勝手のよい政治的ツールです。政敵が扇動的で差別的な言葉を吐き散らしたり、残虐な行為をしているフェイク映像を捏造して、ネット上に配信することができるからです。

２０１７年のフランス大統領選挙のときに、ロシアのハッカーたちは投票日直前にマクロン候補についての虚偽の文書を大量配信して、その当選を阻もうとしました。２０１６年のアメリカ大統領選挙のときにも、ロシアのハッカーたちはアメリカ社会の分断を深めるためにフェイク・ニュースを流しました。投票直前にこのような衝撃的なフェイク映像が流れた場合、それは投票結果に大きな影響を与える可能性があります。もう一つの問題は(こちらの方がある意味でもっと深刻なのですが)、どれほど驚嘆すべき真実の映像や音声を取材してきても、「そんなものはフェイクだ」と白を切ることが可能になるということです。

以前のハリウッド映画だったら、犯人が自分の犯罪をうっかり告白した音声をICレコーダーに録音して、「動かぬ証拠だ」と突きつけて一件落着というシナリオが成立したのですけれど、それが不可能になる。犯人に「そんなものはフェイクだ」と突っぱねられたら、ほんものであることを立証するために、それから後に大変な手間暇がかかるからです。

本当のメディア・リテラシーとは

ですから、これから先ネット上には大量のフェイク映像が流れてくることになると思います。これは避け難い。僕たちは個人の責任において、その真贋(しんがん)の鑑定を下さなければならない。それが本当の意味での「メディア・リテラシー」ということだと僕は思います。

メディア・リテラシーというのは、「その真偽を知らない事案についても真偽の判定ができる能力」のことです。僕たちはほとんどのトピックについて、ニュースの真偽を判定できるほどの知識を持っていません。でも、知らないことについても真偽の判定ができないと、ディープ・フェイクの時代を生き抜くことはできない。

　僕の場合は、「嘘をつく人間に固有の発信パターン」をこれまでずっと研究してきました。嘘をつくとき、人はどういう表情になるか、どういうロジックに頼るか、どうやって反問を遮るか、どうやって論点をそらすか……それについての経験知を蓄積して、「嘘と付き合う技術」を習得すべく努力しています。

　でも、嘘つきの検出は割と簡単なんです。扱いが難しいのは「フェイク・ニュースを本当だと信じて、大真面目に拡散する善意の人」の「脇の甘さ」です。これは検知するのがとても難しい。

　これから必要になるメディア・リテラシーはとりあえずは「嘘つき」と「いい人なんだけど、脇が甘い人」にタグをつけて「眉に唾をつけてから話を聞く」という態度なんでしょうね。


（２０１９年12月22日）

コラム

『騎士団長殺し』を読み解く

Q：村上春樹の新作『騎士団長殺し』を読んだのですが、主人公がいきなり奥さんから離婚してくれ、と言われて旅に出て、白髪の紳士に、美少女、そして鈴の音が聞こえて「騎士団長」が現れて……わけがわかりませんでした。ぜひ、わけがわかるとうれしいです。

その鍵盤を押さないと音が出ない

いつもそうなんですよ。『ねじまき鳥クロニクル』でもいきなり奥さんがいなくなっちゃいますしね。『羊をめぐる冒険』だって、『スプートニクの恋人』だって、ある日いきなり彼女がいなくなるという話なんですから。これは村上春樹の愛用する「説話的定型」なんですよ。それは作家にとってピアノの鍵盤みたいなもので、その鍵盤を押さないと音が出ないんです。

そういう類のストーリー・パターンというのはどんな作家にもあるんです。チャンドラーのフィリップ・マーロウものだって、言ったら全部同じじゃないですか。探偵事務所に依頼者がやってきて、いわくありげなことを言うのだけれど、それは全部嘘で……というのはどの作品も同じでしょ。でも、読者は「全部同じパターンじゃないか、ほかに違うのをやってみろ」とは言わない。同じ仕掛けからどういう違う物語が紡がれるのかをわくわくして読む。

今度の『騎士団長殺し』に出てくる免色さんは白髪で物静かな紳士ですけれど、モデルはもちろん『ロング・グッドバイ』のテリー・レノックスでしょ。彼が遠い家の灯りをみつめる場面は『グレート・ギャツビー』でギャツビーがデイジーの住む岬の緑の灯火をみつめる場面と同じだし。そういう既視感はかなり意図的に仕込まれていると思いますね。同じパターンは、それまでに書かれたすべての「同じパターンの物語」への参照を読者に要求します。一人ひとりの読者はそうやって自分の個人的な読書記憶を掘り起こして、独自の、唯一無二の「含意」をその「同じパターン」から読み出すことができる。だから、「いつもと同じ話型」の方が、「一度も書かれたことのない新奇な話型」よりも、読者にとっては味わい深いし、ついのめり込むんですよ。「騎士団長」は『1Q84』を読んだ人には「リトル・ピープル」を思い出させるし、『海辺のカフカ』を読んだ人には「カーネル・サンダース」を思い出させる。そういうふうに重層化されている。

だから、僕は村上春樹自身が自己模倣のピットフォールにはまり込んだというふうには考えないんです。この話型は彼に取り憑いたものなんです。何も考えずにすらすら書いていると、どうしてもこういう話型になってしまう。なんでこういう物語に引き寄せられるのか、作家自身もそれが知りたい。その答えを探し出すためにさらに書き続ける。

過剰な自己規律が邪悪なものを生み出す

今度の作品も、いつもと同じように、現実と非現実の間を隔てる壁が崩れて、現実の人が「向こう側」に姿を消し、この世ならざる異形のものが「向こう側」から闖入してくる。主人公はたいせつなものを取り戻すために非現実の世界に踏み込み、現実の世界に戻ってくる。この構造は『羊をめぐる冒険』からあと、ずっと同じです。

主人公の「僕（今回は「私」）」の前に、おそらくは主人公のアルターエゴであるところの礼儀正しく、どこか脆く、魅力的だけれど、邪悪な本質を隠し持つ人物が登場してくる。『騎士団長殺し』では免色さんがそれに当たります。彼は『風の歌を聴け』の「鼠」の何度目かのアバターです。彼はたぶん『ダンス・ダンス・ダンス』の五反田くん以来、もっとも造形に成功したアルターエゴだと思います。主人公とそのアルターエゴとの長い対話が村上作品の一番深く、一番「美味しい」ところです。『騎士団長殺し』でもそうです。「私」と免色さんの対話の緊張感とそれがもたらす高揚は他のどんな対話とも異質のものです。

その前の『色彩を持たない多崎つくると、彼の巡礼の年』もそうでしたが、今度の物語も、きびしく自己を律する男が出てきます。彼がおのれの欲望を過剰に抑制したせいで、彼の中に出自を持つ欲望が行き場を失って、浮遊し始める。引き受け手を失った欲望は、いわば親から「お前は私の子じゃない」と拒絶された子どものようなものです。誰にも引き受けてもらえない欲望は、やがて異形のもの、邪悪なものに化身して、現実世界に侵入してくる。それは『源氏物語』で、六条御息所の妬心(としん)が生霊となって、源氏の愛する女性たちに取り憑くのと構造的には同じです。六条御息所はあまりに自己抑制が効きすぎて、嫉妬心のような筋目の悪い感情を自分が抱いていることそれ自体を拒絶します。行き場を失った嫉妬は生霊となってさまよい出て、葵の上に取り憑いて、呪殺してしまう。過剰な自己規律が邪悪なものを生み出すということは古代から知られている人類学的事実なのです。

今回のアルターエゴである免色さんは、異常なきれい好きで、すべてを自分のコントロール下に置きたいと願っており、それゆえ他者と暮らすことができません。彼が引き受けることを拒否した「汚れ」や「緩み」や「怠惰」や「弱さ」はすべて外に掃き出されてしまう。でも、塵一つ落ちていない家を実現するためには、そこの穢(けが)れをすべて集めた「ゴミ溜め」をどこかに作らなければならない。それと同じです。家が隅々まで単一の、非妥協的な美意識で整序されていれば、そこから排除され、「ゴミ」扱いされるものは増えて、それだけ醜悪で凶悪なものになる。

もうひとつの主題は「弱い父親」

もう一つ、『騎士団長殺し』でも「父親の不能」が主題となっています。父親は言葉にすることのできないある種の空虚、あるいは記憶の欠如を抱えており、子どもは父親からその「欠如」や「空虚」を受け継ぐ。これは『海辺のカフカ』『1Q84』と続くこのところの村上作品の主題の一つです。『騎士団長殺し』もこの「父親の不能」は物語の鍵です。

「弱い父親」は世界に災厄をもたらす。父親の人類学的な本務は、この混濁してアモルファスな世界について一つの筋目の通った物語を語るということです。非分節的な世界に「記号的な筋目を通す」というのが父に課せられた事業なので。でも、「弱い父親」はその仕事を果たすことができない。

もちろん父親が語る物語、彼が架けるコスモロジカルな「天蓋」も所詮は虚構に過ぎないのですけれど、子どもたちは幼く、弱い間は、そのような「天蓋」によって守られる必要がある。それがしっかり建造されていれば、子どもたちは幼いときには「天蓋」に守られて育ち、十分に成長した後にはそこから旅立つという順当な成熟プロセスをたどることができます。けれども、「天蓋」で守られていない子どもにはそれが許されない。幼くして自力で生きることを強いられた子どもはやがて長じてクールでタフで自己規律のきびしい人間になります。誰にも頼らず、誰の介入も受け付けず、自分ひとりの、整然とした狭い小さな世界に自足しようとする。『１Ｑ８４』の天吾も青豆もタマルも、多崎つくるも、多くの作品における「僕」もそうです。だから、女たちは「僕」を捨てて（というよりは捨てられて）立ち去る。

「弱い親」は次世代にクールでタフで、きびしくおのれを律する無口な子どもを生み出し、彼らが過剰な自己抑制ゆえに引き受けることを拒否した「弱さ」や「欲望」から「邪悪なもの」が生まれて、世界に災厄をなす。そういう二世代にわたる「因果話」が村上作品の一つの骨格をなしている。

　これまでは一神教の神のように世界に君臨し、世界を睥睨（へいげい）し、万象をコントロールしようとする「父」こそが諸悪の根源であるというのが、父権制批判の基本的なロジックでした。でも、村上春樹の「父」はこういう父権的な父とは違うものなんです。あまりに弱く、疲れ、傷つき、子どもたちのために「天蓋」を作ることができなかった父親、子どもたちをその羽の下に包み込んで守ることができなかった父親がもたらす災厄がむしろここでは問題になっている。

これまで「よいこと」と思われていた人間的資質から「邪悪なもの」が生まれ、これまで「悪いこと」と思われていたことが世の中を支えていた……そういうことってよくあることなんです。世界は二項対立的に分節されている。善と悪、昼と夜、戦争と平和、男と女……面倒だからと言って、そのどちらか一方に片付けるわけにはゆかない。二項が拮抗するその「あわい」にしか人間が住める場所はない。ささやかだけれど確実な幸せが期待できる場所、人間が生きるに値する場所、それを求めてゆくというのが村上春樹の変わらない作家的目標じゃないかと僕は思います。

（2017年5月21日）

Ⅲ　隗より始めよ

瞑想のやり方について

Q：スティーブ・ジョブズもやっていたという瞑想についてやり方から教えてください。瞑想をやれば、そそっかしくて飽きっぽい性格も直るでしょうか。

世界の枠組みをシフトする

瞑想したければ、やり方は何でもいいと思います。自分がふだん世界を眺め、ことの理非や善悪や美醜を判断している枠組みとは違う枠組みにシフトすること、平たく言うと、それが瞑想です。

新幹線の停車中に、隣の列車が先発したときに、そう思えずに、自分の列車がバックし始めたような気がすることがあるでしょう。あれも一種の瞑想的な経験だと前にヨーガ行者の成瀬雅春先生から教えてもらったことがあります。

自分の世界の見方が安定性・確実性を失って、ちょっと浮遊するような感じがすることってあるでしょう。車のギヤがニュートラルに入ったような感じ。瞑想の定義って、それくらいにカジュアルでいいんじゃないかな。

だから、深く呼吸するというのもたいせつな瞑想法です。人間の生命活動のうち、意識的に統御できるものってほとんどないんです。心臓の鼓動とか内分泌とか腸の蠕動(ぜんどう)運動とか、止まったら死んじゃうけど、意識的には統御できませんよね。でも、眠っていても、意識を失っていても、ちゃんとそういう器官はせっせと活動している。その中で、呼吸だけが例外なんです。呼吸を止めたらすぐに死にますから、寝ている間も、意識を失っている間も呼吸はちゃんと続いています。でも、意識的に呼吸は操作できる。深くしたり浅くしたり、遅くしたり速くしたり、自分で統御できる。心臓や肝臓についてはできないことが肺臓については、できる。

人間の根源的な生命活動のうちで意識的に統御できるのは呼吸だけです。

こう言ってよければ、呼吸は意識と人体のミステリーゾーンの間を「架橋」できるたった一本のチャンネルなんです。心臓の鼓動を操作したり、腸の消化活動を操作したりできる行者でしたら、また違う方法があるんでしょうけれど、われわれ凡人にとっては、心身の奥深くに参入する唯一の回路が呼吸なんです。だから、世界中の宗教が、瞑想というとまず呼吸法を教えるところから入るのは理にかなっている。

呼吸をして自分の内側に深く沈潜してゆく。いつもは身体の外に向けていた意識をみぞおちの中丹田や下腹部の気海丹田に向ける。あるいは全身に音声的な響きを通す。あるいは激しい呼気によって心身を浄化する。いろいろなやり方があります。

「自我の支配」から解放される

呼吸法に集中していると「自我」の輪郭がぼんやりしてきます。自我って脳活動の産物ですけれど、すべての器官が酸素を必要としていますから、脳だけに資源を優先配分するわけにはゆかない。だから、全身の部位に呼吸が浸みわたってゆく様子をイメージしながら深い呼吸をしていると、まず脳が構築している社会的な自我が弱まってきます。

道場に来る直前まで仕事とか人間関係のトラブルとかで悩んで、頭を抱えていた人が、数分間深い呼吸をすると、そのことを忘れちゃうんです。「あれ、オレ、さっきまですごく嫌なことがあって悩んでいたんだけど、何だっけ……」というくらいに自我が弱まる。簡単に言うと、瞑想って「自我の支配」から解放されることなんです。

瞑想法のひとつにこんなのがあります。まず「有我有念」から始まる。我有り、念有り、です。うるさい自我がいて、頭の中に妄念がもやもやと詰まっている。それをある一点に集中させる。例えば、自分の指先に。自分の指先で相手の手首に触れて、触覚的に相手の身体をコントロールするというような技術的な課題を与えると、意識が指先に集中します。

それが「有我一念」。

この集中がさらに深まると「無我一念」の境に入ります。「我が相手に触れている」という感覚が消え去る。「我」なんかが出しゃばってきても、今、皮膚の一点で起きていることを精密にモニターする邪魔になるだけですから。

「我」が消えた後に、最終的に感知している対象のものがふっと消失したときに「無我無念」の状態に入ります。我無し、念無し。主体なく、対象もない状態。

そういうふうに段階的に稽古できるんです。瞑想というのは、要するに自分の内側にセンサーを向けて、しだいに深く入って行くことなんです。分子細胞学レベルにまで潜行する。そうすると自分の社会的性格なんか消えてしまう。

前にフェミニストの人たちの前で「身体論」の講演をしたことがありました。そのときにある女性から「あなたは身体というものをまったく理解していない。私たち女にとって『身体』というのは、何よりもまず自分のジェンダーを意識する経験なのだ」と言われました。「そう思われるのはご自由ですけれど、そういう人は武道にはぜんぜん向いてないですね」とお答えしました。

自分の身体の内側を見つめたときに、「自分が黄色人種であることをまず意識する」とか「自分が日本国民であることをまず意識する」とか「自分がキリスト教徒であることをまず意識する」とかいって、「そこから先には行けない」という人は悪いけれど、武道にも、瞑想にも向いてないし、哲学者にも科学者にも向いてないです。そういう社会構築的な性質におのれのアイデンティティを釘付けにして、自我の檻を強化してもあまり人生楽しいことないですよ。

たしかに人間の身体運用はかなり深いレベルまで社会構築的です。でも、僕たちが武道を修行したり、瞑想したりするのは、まさにその社会構築的な「縛り」から逃れ出るためなんです。

僕たちは歩き方も表情も発声法も、歴史的に条件づけられている。僕は能楽の稽古をしていますけれど、あれは中世日本人の身体運用に基づく芸能です。だから、現代人の身体運用とは文法も語彙も違う。いわば古語的な身体運用が求められる。

そうやって「古語で身体を使う」稽古をしていると、ふだん自分が自然な身体運用のつもりでしている動きがどれほど歴史的環境に条件づけられたものか思い知らされます。自分を閉じ込めている「身体の檻」が自覚される。その意味では能楽の稽古も一種の瞑想だと言えます。

走るのももちろん一つの瞑想法です。ランナーズハイになったランナーもやはり自我が溶解して、走る自動人形みたいになっている。「風」に乗ると、まったく疲れを感じないそうです。集団で同じ振り付けで踊る、声を揃えて歌う、祈る……というのも瞑想状態に入るためには有効な方法です。

生きるために必要なこと

僕が主宰している凱風館の合気道の稽古では、最初の30分ぐらい呼吸法をします。呼吸法をしているうちに、先ほど言ったように、社会的性格が弱まって、皮膚とか筋肉とか骨とか関節とか、そういう歴史的に分節される以前の、不定形的な「生の身体」にまで戻り始める。

ふだんタフな世の中で生き延びるためには、強固な自我があって、譲ることのできない「こだわり」とか美意識とか政治的信念とかの鎧(よろい)で身を固めていることが必要ですけれど、道場にはそんなものは要りません。呼吸法をすると、「鎧を脱いだ」感じになる。

自我の縛りを逃れるというのは、生きるためには必要なことなんです。犬の散歩と一緒です。一日犬小屋に閉じ込められた犬を散歩に連れ出して首輪を外してやると、狂ったように走り回って軽いトランス状態になるでしょう。あれですよ。

先日、川下り(ラフティング)のインストラクターの女性から聞いた話では、子どもたちは最初かちかちに硬くなっているんですけれど、一回ボートが沈んで、頭から水をかぶると、いきなり表情が変わるんだそうです。「何がなんでも生き延びるぞ」という野生の生命力が湧き出て来る。川下りが終わったときには、「おねえさん、ありがとう」と笑顔で帰ってゆくんですって。ふだん押し込められていた「生き延びるための野生の生命力」が生命の危機を感じて発動したんですね。そのときに、「ああ、自分の中にこんな強い力があったのか」と子どもたちが気づいて、それが自信につながっていく。これもある種の瞑想だと言ってよいと思います。

そう思うと、スティーブ・ジョブズが瞑想した理由もわかりますよね。定型的な思考から身を振りほどいて、「こんなことができたらいいな」という自由な想像力を走らせようとしたんです。「技術的な限界が」とか「コスト的に無理です」とかいう「やらない言い訳」を蹴り倒すためにはそういう自由な想像力の疾走が必要なんですよ。

質問者の「そそっかしい性格」とか「飽きっぽい性格」とかが瞑想で直るかどうかは僕にはわかりません。でも、もしその性格が「自分はそういう人間だと思い込んでいる」自分にかけた呪縛だとしたら、瞑想で別人になる可能性はあります。一度やってみたらどうですか。

（2019年10月13日）

フランス語の動詞〝se débrouiller〟の意味とは？

Q：２０１８年６月末に１週間ほどパリに行っていたそうですが、その感想を教えてください。

システムの隙間をめぐるルール

え、そんな気楽な話題でいいんですか？（笑）　毎年この時期には合気道の多田宏先生の講習会がパリであります。今年はそれに加えて先生が日本文化会館で武道についての講演をされ、その前日は同じ会場で数学者の森田真生（まさお）君がフランスの哲学者と対談する。またとない好機なので行ってきました。

ちょうど滞在中がW杯期間で、生まれてはじめてパブリックビューイングで試合を見ました。フランスではW杯の試合はふつうの地上波では放送していないので、近所の人たちが試合時間になると有線テレビのあるカフェに集まってきます。合気道の稽古のあと、仲間たちとビールやワインを飲みながら、日本・ベルギー戦をわいわい楽しみました。

　オデオン駅近くのカフェだったので、お客さんの半分ぐらいが日本人でした。だから、ずいぶん盛り上がりました。びっくりしたのは、日本の敗戦が決まったときに、店のスピーカーから「君が代」が流れたこと。僕たちへのサービスだったんでしょうね。振り返ったら、店員さんが親指を立ててウィンクしてくれました。「フランス、いい国じゃん」とちょっと感動しました。

　でも、帰路、シャルル・ド・ゴール空港のチェックインで、持参した木剣と杖が引っかかってしまいました。機械が発行した荷物のタグが無効だと言われたんです。タグの付け替えをお願いしたら、「ここじゃない」と1時間半ほどたらい回しにされて、搭乗時間が迫ってきたので泣く泣く荷物を捨ててきました。

　フランスって「そういう国」だった、ということをそのときに思い出しました。一度システムの隙間に落ちたら誰も手を差し伸べてくれない。トラブルは自己責任で解決しなければならない。それがルールなんでした。

　フランス語には se débrouiller という動詞があります。「システムの隙間に落ちたときにそこから自力で抜け出す」という意味です。それができたら一人前。システムの不条理に「大人」はクールに対応しなくちゃいけない。

　それにしてもフランス人は機械が好きですね。人間より機械の方が接客態度がいいからかな（笑）。でも、機械は故障するとおしまいです。周りに職員なんかいないし。機械に不具合があれば、日本だと、呼び出しボタンを押せば「すぐに何とかします」と言ってくれますけれど、フランスでは機械に貨幣を呑み込まれても、カードを呑み込まれても、誰も「すぐに何とかします」なんて言ってくれません。自力でこの不条理から抜け出すしかない。

空港で、久しぶりにフランスの「冷たさ」を感じました。でも、価値観の異なる多民族が行き交う場所では、これはしかたがないことなんですよね。そういう場所では他人に共感や善意を期待してはいけないということを改めて肝に銘じました。はい。

合気道は宗教的な行に近い

ご存じないでしょうけれど、ヨーロッパではどこも合気道がさかんです。ヨーロッパの合気道家はちょっと変わり者が多いですね。穏やかで内省的な人が多い。合気道はスポーツではないし、護身術や格闘技でもない。どちらかというと宗教的な行や瞑想に近い。「そういうのが好き」という人はどこの文化圏にも一定数はいるんです。他人と争わず、心静かに生きるための心身統御の技法を学びたいという人ですから、基本的に「いい人」です。

勝つことを第一に考えると、なかなか「いい人」ではいられませんからね。どうしても気持ちが対立的になる。

目の前の相手との相対的な優劣だけを気にすると、相手をどうやって「弱くするか」をつい考えてしまう。これは仕方がないんです。「そういう邪悪なことは考えないようにしよう」と自分に言い聞かせても無理なんです。対立的というのは心構えというより、存在するモードそのものなんですから。もちろん、日常生活では、いきなり殴り付けるとか、そういう無茶なことはできません。勢い「メンタルを攻める」ことになる。

ボクシングの試合の計量のときに、よく選手同士が罵り合いをしてますよね。あの「ビッグマウス」というのは、自分を鼓舞するためというより、相手を不快にさせることをめざしている。「なんで厭な奴と試合しないといけないんだろう。うう、気分悪いぜ」と思わせたら、それだけでもいくぶんか効果があったということになる。

そういう「弱め合い」が気にならない人と、気になる人がいます。そういうのが苦手という人たちが合気道に集まってきます。だから、講習会の雰囲気はとてもフレンドリーです。

ツイッターに「パリに行く」と書いたら、現地在住の方たちから「会いたい」というオファーがあり、滞在中に何人かとお会いしました。ほとんどが若い女の人たちでした。

海外にいる男性は転勤とか留学とか「いずれ日本に帰る」人が多いですけれど、女性はこちらで仕事を見つけて、家族を持って、骨を埋める覚悟で来ている。その覚悟の差が男女でずいぶんはっきり分かれてきたと思いました。「グローバル人材」が文科省の意向とはまったく無関係に現に育っていると実感しました。ただし、それは外国語でタフな交渉をして、日本のGDPを増大させる産業戦士ではなく、日本ではないところで、日本人ではない隣人たちのためにその能力を発揮する人たちだった。

昔は「女三界に家なし」と言いましたけれど、今は逆です。「女三界に家あり」です。能力の高い女性はどこでも暮らしていける。そういう人たちが日本を見限って出て行ってしまっている。「日本には自分の居場所がない。日本にいても仕方がない」と思ったからです。気づかないうちに、これだけの人的リソースを日本は失っている。そのことに少なからぬショックを受けました。

（2018年9月8日）

仕事の効率を上げるためにたいせつなこと

Q：仕事を始めようとPCの前に座ると、ついユーチューブとか見てしまい、なかなか集中できません。武道的にすぐに仕事モードに入れる呼吸法とか秘技とかはないものでしょうか。

カントから村上春樹まで

やらなくちゃいけない仕事を始めようというときになると、つい「ほかのこと」がしたくなるというのは、ほんとにそうですね。僕もそうです。

僕の秘策は「やらなければいけない仕事」をいくつか同時並行的に進めるという方法です。そうすると、「さあ、仕事を始めよう」と思って、つい現実逃避したくなったときに、「別の仕事」が魅惑的に思えてくるんですよね、これが。原稿を書く代わりに、ゲラに朱を入れたり、謡や舞の稽古をしたり、洗濯物を干したり、書斎の掃除を始めたり……、どれも「いつかはしなくちゃいけない仕事」ではあるんです。そういうものをデスクトップの上に散らばしておくと、仕事から逃れるために別の仕事をするので、トータルで帳尻は合う。ほんとですよ。

仕事の効率を上げようと思ったら、とにかくルーティン化すること。毎日判で押したように、仕事の時間になったら仕事をする。これが最も効果的です。カントから村上春樹まで、生産性の高い人はだいたいそうです。

前にうかがったのですが、久石譲さんも「ルーティン派」だそうです。時間が来たらピアノの前に座って、まず練習曲を弾いて指の訓練。それからピアノの前で曲想が「降りてくる」のを待つ。曲想が浮かんだら、それを採譜する。浮かばない日は、ずっと待っていて、時間が来たらピアノを閉めて終わり。「降りてくる」日も「降りてこない」日も定時になったら仕事をやめる。それがたいせつみたいです。気が乗らないので仕事場に行かない、今日は絶好調だから徹夜でやる……みたいなランダムな仕事の仕方は結局非効率みたいです。

同じことをレイモンド・チャンドラーも書いてました。彼もやはり決まった時間にタイプの前に座った。そのときには原稿を書くこと以外のことをしてはいけない。本を読んだり、手紙を書いたりもだめ。とにかく原稿を書く作業に集中する。書けないときも、定時までそこにいて、時間が来たら席を立つ。好調不調にかかわらず、定時に始めて、定時に終わる。これが仕事の効率を上げるためにはたいせつなことのようです。

日本企業の生産性が落ちたのは「残業のし過ぎ」のせいだと思います。60年代までの勤め人はみな定時になったらさっさと帰ってましたよ。でも、その頃が経済成長の絶頂期だった。過労死するようになってから生産性がガタ落ちしたんです。いい加減にルーティンのたいせつさに気づいて欲しいですね。

Q：入学・入社シーズンです。新しく入ってきた新人の若者にはどういう態度で接したらいいでしょうか？

才能は温室で開花する

やさしく接するべきだと思います。やさしくして、「いい人だな」と思われるのが一番です。新人に厳しく接して怖がられる人の意図が僕にはよくわかりません。

僕はやさしいですよ。学生にも道場の門人にもやさしい。甘やかし過ぎじゃないかと言われることもあります。でも、長く教壇に立ってきた経験から「才能は温室で開花する」

ということについては確信があります。上からの査定的なまなざしに脅えながら才能が開花するなんてことは絶対にありません。

僕は若い人たちに、何か僕のために働いて欲しいわけじゃない。彼ら自身が大人になって、社会的な能力を高めて欲しいだけです。そして、子どもをすみやかに大人にするために、僕が知っている最も有効な方法は「大人になると楽しそうだ」と思わせることです。

成長しない人は「子どものままでいること」からそれなりの利益を得ているからそうしているんです。だから、子どもを大人にしたければ、子どものままでいるより大人になった方がずっと愉快だと教えてあげればいい。新入社員を早く一人前にしたかったら、「一人前になると仕事がすごく楽しい」様子を見せてあげればいいんです。叱る必要なんかありません。「仕事ができると愉快だなあ。周りから大人扱いされると気分がいいなあ」とにこにこしていればいい。

武道や芸事を長くやっているとわかりますけれど、弟子たちは師匠の息遣いや所作を真似るところから始めて、師匠の技芸を「写して」ゆくものなんです。その場合、師匠の所作のうちでも、「師匠がやっていて気持ちのいいこと」はそれだけ感染力が強い。模倣を促す力が強い。だから、相手が部下であれ、弟子であれ、「これを真似して欲しい」と思ったら、ご本人がそれを気分よくやればいいんです。ご本人が不快に耐えてやっている「いやなこと」は誰も真似してくれません。

自分の思い通りに人を動かそうと願うなら、「人にして欲しいこと」を自分が進んでやればいい。楽しそうに。

もし、オフィスをきれいに使って欲しいと思っていたら、まず自分でゴミを拾う。そのときに「チッ」と舌打ちして嫌そうに拾うんじゃなくて、「おや、ゴミだ」と明るく拾うのがコツです。「オフィスをきれいにするのは気持ちがいいなあ」と本気で思いながら片付ける。そうすれば、周りもいつの間にか真似してくれます。ほんとに。楽しそうにやっていることしか人は真似してくれないんです。

ある意味で簡単なんです、教育って。楽しそうにやっていることなら、子どもたちは真似してくれる。礼儀正しくふるまうとか、適切に敬語を使うとか、仕事場をきれいにするとか、して欲しいことは自分がまず楽しそうにやればいい。「楽しくやっていること」は脅かさなくても、札びらを切らなくても、自発的にやってくれます。

(2019年4月25日)

「健康志向」も適度が健康です

Q：最近深夜にテレビを見ていると、やたらと健康食品のCMが流れています。健康なひとはすでに寝ているだろうし、かといって健康でないひとも寝ている時間帯です。健康そうな若い世代でも、フルーツ青汁などというものを飲んだりしています。この「健康」に対する不安はなにか社会的な不安を暗示しているのではないかと思い、不摂生を続けている私は、逆に不安になります。

われわれは全員病んでいる

その通りだと思います。「健康、健康」ってうるさく言われるのは、たいていろくな時代じゃありません。いい時代のときって、健康のこととか、みんなあまり気にしない。一人ひとりがしたい放題のことをやって、人の健康のことなんかに口を出さない。「好きにしたらいい」と人のことを放っておいてくれるのが僕にとっての「いい時代」の定義です。

そもそも何をもって「不健康」とするのか、その基準ははなはだ曖昧です。例えば、病気としての高血圧の数値は時代ごとに変わっています。以前は上の血圧は「年齢＋90」が目安でした。１９８７年に政府・旧厚生省が示した基準は「１８０／１００」でした。それに対して日本高血圧学会が「１４０／９０」に一気に基準を下げた。これで投薬が必要な患者数が激増しました。でも、十分な医学的根拠は示されていない。「健康」の範囲をどんどん狭く限定してゆくことが「健康増進」だという思考が僕にはよく理解できないのです。それ、逆じゃないですか？

先日、長崎大学が「喫煙習慣のある人間は教職員に採用しない」と表明して、かなり話題になりました。アメリカだと、喫煙者と肥満者は「自己管理ができない人間」と査定されて企業では管理職になれないそうです。

デンゼル・ワシントン主演の映画『イコライザー』では、ホームセンターのセキュリティの採用条件に体重制限があり、同僚のダイエットを主人公が手伝うというエピソードがありましたが、セキュリティの優先的な資質って、「人を見る目」とか「危険察知能力」とかであって、体重じゃないでしょう。

健康を数値的に表示し、健康の条件を狭く限定するというのは、「不健康な人間」の頭数を増やすことにしかなりません。その結果、「お前の生き方は不健康であるから改善しろ」と口うるさく他人の生活に介入する人が増えてくる。なんか不愉快ですよね。

フロイトによれば、われわれは全員が程度の差はあれ精神を病んでいる。完全に正常な状態に戻すことはできない。医者にできるのは「扱いにくい病態」から「比較的扱いやすい病態」にシフトすることだけだ、と。僕はこの考え方は正しいと思います。人間は程度の差はあれ、種類の違いはあれ、全部が何らかの病気である。当然ですよね。生まれてからあとはひたすら死に向かっているわけですから。いずれどこかの器官が不全になって、終わる。これに例外はない。「死に至る病」としてどの道をたどることになるのかの違いしかない。

ナチズムも健康志向だった

アメリカで難病の患者を冷凍しておいて、治療技術が進歩した未来に解凍するということを考えている人がいるようですけれど、仮に治療法が見つかったのが100年後だとして、そんな時代に蘇生してどうするつもりなんでしょう。知り合いは一人もいないんですよ。『エイリアン2』の主人公は57年に及ぶ人工冬眠から醒めたあとに地球に帰還するんですけれど、ひとり娘はもう死んでしまっていて、血縁者は一人もいない。幸いテクノロジーがぜんぜん進化していなかったので、身に付いた機械操作技術で飯が食えたという話でした。テクノロジーが進化してたら、気の毒だけど、無職です。今の日本に100年前に冷凍された人が蘇生したとして、いったいその人は何をして余生を過ごしたらいいんですか？

忘れてはいけないのは、ナチズムもイタリアのファシズムも強い健康志向だったことです。最初は食物から始まるんです。精製しない玄麦でつくったパンとか人工的な添加物のない自然食とかが推奨され、汚れた都市を離れて、自然の中で暮らそうというワンダーフォーゲルやヌーディズムもナチの時代に始まりました。

少し前にイタリアでスローフード運動というのがありましたね。最初はマクドナルドの出店に対する反対運動でしたけれど、「イタリア人は伝統的なレシピに則って調理された土地に固有の食材を食べるべきだ」という運動でした。しかし、固有の風土に養われた心身だけが健康である（不健康な人間は「よそ」から来たもので身を養っている）という考え方はかなり危険なものです。そのまま反ユダヤ主義や障害者排除や移民排除につながるからです。事実、スローフード運動が始まった北部イタリアは30年代にファシズムの、今は「北部独立」運動（貧乏な南イタリアに自分たちの税金を投入するべきではないという運動）の拠点です。

なにより「固有の食材」という定義そのものがいかがわしい。

トマトはアンデス原産です。イタリアに入ったのは16世紀で、それも観葉植物としてでした。食用に改良されたのは18世紀に入ってから。唐辛子をヨーロッパに持ち込んだのはコロンブスです。ジャガイモは中南米原産で、イタリアに入ったのは15〜16世紀。玉ねぎも原産地は中央アジアです。厳密に「イタリア固有の食材で」というのなら、トマトと唐辛子とジャガイモと玉ねぎ抜きで料理するしかない。でも、無理でしょう。

そんな恣意的なしかたで「風土に固有の」というような危険な形容詞を扱うものじゃありません。

僕は健康というのは「適度」ということだと思っています。個人によって「適度」は違う。江戸時代に加賀藩のお殿様だった前田斉泰という人が書いた『中楽免廃論』という「健康書」があります。これは最初から最後まで「適度に」とはどういうことかを論じた本です。

斉泰によれば、大食漢は大食することが健康法で、小食のものは小食するのが健康法である。正坐をする人は正坐をするのが健康によく、終日歩き回る人は歩くのが健康によい。何が健康によいのかは一人ひとり違う。だから、おのれの「適度」を知って、その「いい加減」のところに身を持していればよろしいというのが斉泰の教えでした。こういうのが大人の態度だと僕は思いますね。

（2019年11月6日）

結婚・家族について

Q：最近、長いこと同棲していて、結婚の約束をしていたのに男の方がやっぱり嫌だといって別れてしまって、さみしい思いをしている女の人にふたりも出会いました。男は「やめた」でよいけれど、女性にとっては大切な時期を無駄にしたことになってかわいそうです。これ以上不幸になる女性を増やさないために、この際、同棲は禁止にしたらどうでしょうか、というのは冗談にしても……。

どんどん同棲してください

同棲して何が悪いんですか。結婚にいたる経過は人それぞれなんだから、好きにさせたらいいんじゃないですか。僕が学生の頃は、同棲する人多かったですよ。特に地方から出てきて下宿している連中は、すぐに同棲始めましたね。二人で暮らす方がお金がかからないし、二人なら風呂付きの部屋借りられるからとか。そういうプラグマティックな理由で。

だから、これからまたみんな貧乏になったら、また同棲が流行るんじゃないかな。一人で引きこもって暮らしているよりは二人で暮らす方がずっといいと思いますよ。

僕自身は一人暮らしって実はほとんどしたことがないんです。子どもの頃は家族と暮らしていたし、大学に入ってからも寮にいたし、その後は友だちとルームシェアしたり、同棲したり、結婚したり、離婚して父子家庭で子どもを育てたり……本格的な一人暮らしは、娘が18歳になって家を出て行ったときが生まれて初めてでした。その後数年してまた再婚したので、この一人暮らしも終わったし。

僕はきっと他人と暮らすのが好きなんですね。生活習慣のぜんぜん違う人と暮らしていると、「世の中にはいろいろな人がいるなあ」としみじみ思うから。部屋をカオスにする人もいれば、きれい好きもいるし、規則正しい人もいれば、ぐだぐだの人もいるし、あけっぴろげな人もいれば、秘密を抱えている人もいるし。ほんと、人間ていろいろだと思います。市民的成熟を果たし、社会性を養うためにも「何を考えているのかわかんないやつ」と鼻つき合わせて暮らすことは有用です。ぜひ、どんどん同棲してください。

（2018年10月20日）

Q：未婚30代女性です。先日、亡くなった樹木希林さんは内田裕也と結婚して、だけどずーっと別居状態で、それでも離婚には応じず、内田裕也のことを愛し続け、世の中的に「いい夫婦」ということになっているようです。夫婦って、いったいどういうものなのでしょうか。

結婚は安全保障

わかりません。どうだっていいじゃないですか、どこの夫婦が「いい夫婦」だろうが「悪い夫婦」だろうが。「いい夫婦」なんて理念型があるわけじゃありません。結婚といっても、いろんな結婚があります。事実婚もあるし、同性婚もあるし、通い婚もあるし、いろいろです。結婚したければするし、ご縁がなければしなくてもいい。「はやく結婚しろ」とか「子どもは三人以上産め」とか言う人がたまにいますけれど、余計なお世話ですよ。結婚について、どうしても守らなければならない一般的な基準はありません。

ただそれでも僕が若い人に結婚を勧めるのはもっぱら「安全保障上」の配慮からです。結婚していた方が「もしものとき」の安全保障になる。

一人でいる方が暮らすのは楽です。好きなときに寝起きし、好きな時間に好きなものを食べて、好きな音楽をかけ、好きな家具を並べて「自分らしい」人生を満喫できます。

今はほとんどの家事労働はアウトソーシングできます。外食する場所はどこにでもあるし、コンビニだって一人分のポーションのメニューは充実しています。お掃除はルンバにやらせて、洗濯は全自動洗濯機とクリーニング。ぜんぶ揃っているなら、家事労働のために専従労働者を求めるよりも、一人で効率的にお金を稼ぐことに特化した方がはるかに合理的です。

昔はそうは行きませんでした。「割れ鍋に綴じ蓋」とはよく言ったもので、男性は家事労働能力が低く、女性は賃労働能力が低かった。夫たちは妻がいないとご飯も炊けないし、風呂もわかせないし、パンツも出せなかった。逆に、妻たちは夫がいないと現金収入がなかった。お互いに相手がいないと生きていけないという仕組みになっていました。これはこれでよくできたシステムだったと思います。好き嫌いなんか言ってられない。配偶者がいないと生活が成り立たないんですから。

だから、男がある程度の年齢になって、親元を離れるということになると、妻なしでは暮らせなかった。この場合の妻は「母」の代用品だったわけで、それが日本の男の人間的成熟の阻害要因になっていたわけですけれど、その話をすると長くなるので、また今度。とにかく、家事労働をアウトソースできる社会が到来するまで、配偶者は男女ともに生活上の必須でした。

でも、時代は変わりました。もう男女ともに結婚する必然性がなくなった。それぞれお金を稼ぐことに専念すればよくなった。ですから、今、男女とも生涯未婚率はたいへんな数値になっています。ご存じですか？　生涯未婚率というのは「50歳で一度も結婚歴がない人の割合」のことです。１９９０年時点での生涯未婚率は男性が５・６％、女性が４・３％でした。よくこの数字を見ておいてくださいね。それが、２０１５年時点で、男性23・４％、女性14・１％です。男性の４人に１人、女性の７人に１人は生涯ついに配偶者を得ることなく死ぬというリアルな数字が出ています。そして、ご想像の通り、東京の未婚率がきわだって高く、30代男性の未婚率は驚くなかれ43・７％です（女性は34・１％）。30代男性の７人に３人、女性の３人に１人は未婚者なのです。

この方たちが40代になってから急にばたばたと結婚するでしょうか。僕はそうは思いません。40歳まで気楽な一人暮らしをしてきた（それだけの収入があったということです）あるいは母親に身の回りの世話をしてもらってきた男性が、同じように一人暮らしをエンジョイしたり、母親に家事労働を丸投げしてきた女性と結婚したいと思うでしょうか。結婚してうまくゆくでしょうか。難しいですよね。ですから、30代以上の未婚率はこれからもどんどん高くなるだろうと僕は予測しています。

でも、これは安全保障上はかなりリスクの高い生き方です。ふた親がいるうちはいいですよ。もしものとき（会社が倒産するとか、重篤な病気に罹るとか）には親を頼ればいい。でも、両親が死んだらどうします。もう「セーフティネット」がない。

以前、個室ビデオ店火災事件を起こしたホームレス男性は大手家電メーカーに勤務していたサラリーマンでしたけれど、リストラされた後、親の遺した家を売ってしばらくは暮らしていましたが、その金が尽きたらホームレスになった。大手企業の社員からホームレスまでの転落の速さに僕は驚かされました。彼には生活を支援してくれる親戚も友人もいなかったのです。

相互支援ネットワーク

結婚は安全保障上のリスクヘッジです。夫婦が同時に失業するとか、同時に病気になるということは確率的にはあまり高くありません。一方が要支援の状態になったときにでも、他方はパートナーを支援できるくらいの経済力と健康がある。どちらの身にも同じことが起き得るわけですけれど、その時期が「ずれる」なら、短期間に生活が破綻して、ホームレスになるというリスクを回避できる。

今の日本は残念ながら、社会福祉制度が整備されていません。生活保護制度はあることはありますけれど、受給者に対するバッシングはすさまじいものです。失敗した人間は自己責任で路頭に迷え、弱者に税金を投じるのは無駄だというようなことを広言する人たちがネットどころか政策決定過程にまでひしめいているという「後進国」です。自分で自分を守る手立てを考える必要がある。貯金なんかしても安心できませんよ。国のシステムそのものが破綻しかけているんですから。

これからの日本社会でリスクヘッジをしようとするなら、とにかくわが身に「もしものこと」があったら、支援してくれる人の頭数を増やしておくこと、それに尽くされます。相互支援のネットワークを構築して、そのメンバーとして積極的に活動すること。それが一番のリスクヘッジです。

たしかに面倒ですよ。相互支援ネットワークは「もしものとき」に備えての保険ですから、「もしものとき」が来ない限り、ずっと「支援の持ち出し」になるんですからね。「出した分だけはきっちり回収したい」というような「合理的」な頭の作りの人には相互支援ネットワークは作れません。

でも、結婚も同じなんですよ。結婚の本質は「成員二人の相互支援ネットワーク」です。だから、わが身に「もしものとき」が来るまではずっと「持ち出し」なんです。「持ち出し」の様態はさまざまです。収入が多い方の配偶者は「よけいに負担している」と思うし、家事労働が多い方の配偶者は「よけいに負担している」と思う。気づかいの多い方は「よけいな気を使わせられている」と思うし、我慢している方は「よけいな我慢を強いられている」と思っている。

でも、ご安心ください、すべての夫婦がそうなんです。例外はありません。「うちの場合は、全部だんなの持ち出しで、私は左うちわなの、ほほほ」なんていう妻はおりませんし、「妻が稼いで、家事をして、オレのエゴをなでてくれて、オレは何もしてないんだよ、ははは」なんていう夫もおりません。すべての配偶者は「私の方が持ち出しが多い」と思っています。でも、それでいいんです。そういうものなんです。相互支援ネットワークというのは「まず持ち出し」から始まって、主観的には「ずっと持ち出し」なんです。それが嫌だという人はこのゲームのプレイヤーにはなれません。

（２０１９年３月10日）

Q：40歳男性（自営業）、横浜在住です。昨年3月に離婚し、元妻が10歳の娘を連れて鹿児島に帰りました。毎月、鹿児島に行って娘に会っているのですが、先日、「そんなに毎月来なくてもいいよ」と娘にいわれました。でも、そのあと、娘の所属するブラスバンドに顔を出すと、すごく喜んでくれました。先日のことばは強がりだったのか、それとも本気だったのか、娘との距離感がなかなかつかめません。どのようにするのがベストなのか自問自答の日々です。

思春期の娘は父親を嫌いになるもの

今、娘さんは10歳ですか。あと3年くらいしたら、「お父さんには会いたくない」と言ってきますから、今のうちに会っておいたらいいですよ。

思春期になったら娘は父親を嫌いになります。これは自然過程なんです。止めようがない。別に娘さんが自己決定して父親を嫌いになるわけじゃない。本能的に嫌いになるんです。そういうふうに生物学的にプログラミングされてるんです。

でも、世の多くの父親は、娘の冷淡な態度を娘の側の主体的な決断だと勘違いして、それで傷ついたり、悲しんだり、怒ったりします。そのせいで関係が致命的に壊れてしまう。

娘が疎遠になったら、「ああ、ついにそのときが来たか」と粛々と受け容れるしかありません。自然過程なんですから文句を言っても始まらない。そういうときは娘さんに近づかないで、遠くから成長をじっと見守る。そのうち、ふと憑き物が落ちたように、「病的な父親嫌い」の時期が終わります。そしたら、また仲良くすればいい。

大事なことはその疎遠な時期に父娘で傷つけ合わないことです。そのためには適切な距離をとる。「なんで、そんなに態度が悪いんだ！」と叱っても仕方がない。どうして急に父親が嫌いになったのか、娘さんだって理由を知らないんですから。

でも、子どもと距離を置くときでも「いい親」ではいた方がいいですよ。どういう親が「いい親」か、ご自分が子どもだったときを思い出せばわかるはずです。「金は出すが、口は出さない」というのが子どもにとっての理想の親ですよね。まことに勝手ですけれど、そうなんです。だから、「父嫌い」の時期に娘から過度に嫌われないためには、そうすればいい。「好きなことをしていいよ。金なら出すぞ」と歯を食いしばっても言い続ける。そうすれば、最悪の時期が過ぎた後に和解するチャンスがそれだけ高いです。

（2019年4月25日）

家を買うなら、今ですか？

Q：東京近郊で家を買おうか迷っています。でも、今は住宅バブルで、東京オリンピックが終わったら暴落するという説もあるし、そもそも日本は毎年30万人も人口が減っていくのだから、もう少し待った方がいいようにも思います。その一方、人手不足で建築費が上がっているから、オリンピックが終わっても絶対に下がらない、という説もあるみたいです。今なら超低金利だし、消費税が２０１９年10月には10％になる（かも知れない）し、「買うなら、今」とも思うのです。

崖のないチキンレース

最初に確認しておきますけれど、人口減のペースはもっとすごいですよ。内閣府の出しているデータでも日本の総人口は２１００年の中位推計が５０００万人。今が１億２７００万人ですから、あと82年で７７００万人減る勘定です。年間90万人。それだけ人が減るわけですから、この先住宅需要が高まるということはまずありえません。

でも、国民経済的視点からは、それでも家を買ってもらった方がありがたいんです。景気って「気のもの」ですからね。これからも住宅需要は堅調だとみんなが思い込んで、ローンを組んでどしどし家を買ってくれれば、景気はよくなります。逆に、将来何が起こるかわからないからお金を貯め込んでおこうと思うと、消費意欲は冷え込み、市場は縮減して、ますます景気は悪くなる。ですから、とりあえず国民経済のためには明日のことを考えずに家を買ってください。

というのは一般論で、友だちから「家を買おうと思うんだけど」と相談されたら、「今は買うな」とアドバイスします。二枚舌（笑）。だって、いつ住宅価格が急落するか予測不能なんですから。

不動産関係の人に聞くと、物件数はすでに圧倒的に供給過剰だそうです。実需要がないのに、新築マンションがどんどん建てられている。だから、そういうところには人が住んでないんです。値上がりを見込んでの投機だから。バブル期と同じです。供給が需要を超えているんだから、どこかで価格が暴落するのは当然です。でも、その前に最高値で売り抜ければ資産運用としては成功。

だから、これは「チキンレース」なんです。ただし、このレースには崖がない。もうとっくに崖を越えて、下に地面がないところを走っているのです。それがわかっていながら、地面があるような顔をして走り続けられる人の中の誰かが勝ち逃げする。スリルが大好きという人はやってもいいと思いますよ。でも、「終の住処」を探すつもりなら、今は買う時期じゃないです。

東京オリンピック開催は不透明

五輪が終わるまでは待った方がいいかどうかというご質問でしたけれど、実は東京五輪が果たして開催されるかどうか、僕はけっこう不透明だと思います。

国際陸上競技連盟（ＩＡＡＦ）の前会長で、ＩＯＣ委員のラミーヌ・ディアックとその息子は世界陸上と五輪を食い物にして、私腹を肥やしてきた容疑でフランスとブラジルの司法当局に追われて逃亡中ですけれど、この２人は東京五輪招致に深くかかわっています。

電通の仲介で、シンガポールのダミー企業に日本の招致委員会から２億３０００万円が振り込まれたことがありましたね。あの金はディアックの息子の口座に転送されていたのです。去年の９月に『ガーディアン』が報じました。フランスの司法当局はこの支払いがＩＯＣ内部に強い影響力を持つディアックを介して票を買収し、２０２０年東京五輪の招致を実現するためになされたという結論を出しました。

これは明らかに五輪憲章違反です。捜査が進み、招致のために票を買収した証拠が揃ったら、規定に従って東京五輪は開催中止です。憲章違反による開催取り消しは、開催前日でも行えますし、中止によって生じる損害に対してＩＯＣは一切責任を負わないことも憲章には明記されています。

メディアは報じませんけれど、東京五輪は開催中止リスクを抱えたまま進行しているプロジェクトなんです。でも、そんなことは考えたくないから、みんな黙っている。今の日本のシステムの腐敗と機能不全を見ると、ある日「東京五輪開催中止」が通告されて、関係者全員白目を剝いて腰を抜かして収拾がつかなくなる……という事態を迎える可能性は少なくないと僕は思っています。

（２０１８年８月16日）

マナーの悪い幼児的なオヤジ

Q：常日頃は真面目で穏健な性格なのですが、電車のなかで、携帯電話で話している人を見ると無性にむかついて、怒鳴ってやりたくなります。実際は怒鳴った後、殴られたりすると怖いのでガマンしているのですが、電車内での通話ごときでマジむかつく自分は異常でしょうか。

「俺は重要人物なのだ」アピール

たまに新幹線車内で携帯で大声出してしゃべっているオヤジとかいると、確かにむかつきますよね。僕も注意したことがありますよ、「いい加減にしろ」って。それまでかなり我慢したんですよ。携帯はデッキに出て話すというマナーがあるじゃないですか。話の内容が、緊急性がありそうで、すぐに返事をしないといけないようなことなら、こっちだって「あ、いろいろ事情があるんだな」と思いますよ。悲しんでいる人を慰めているとか、怒っている人を鎮めているとか、人の道を諄諄と説いているとかなら、車内で携帯で話していても僕は怒ったりしませんよ。でも、車内で大声で話をするようなやつって、そういう話をしていないでしょ？　だいたい偉そうにしているんですよ。部下にがみがみ業務命令をしてたり、立場の弱い相手にかさにかかってクレームつけていたりとか。別にデッキに出る余裕もないほど緊急性がある話じゃないんです。そうじゃなくて、自分が人に向かって偉そうに命令したり、叱責したり、要求できるような人間であることを周りの乗客に誇示したくて、あえて座席ででかい声を出しているんです。あの、「オレはこういうところでルール違反をしても咎められないくらいに緊急な案件を扱っている重要人物なのだ」というアピールに僕たちはうんざりするんだと思いますよ。

僕が見たときは、女性の車掌さんが注意すると、「すぐ終わるから」と言って手で追い払って、それからも延々としゃべっている。二度注意しても話しつづけている。三度目は男性の車掌が来て「申し訳ないんですけれども」と注意している。それなのに舌打ちして、「すぐ終わるって言ってるだろ」と話しつづける。さすがに温厚な僕も激昂して、立ち上がって「いい加減にしろ！」と怒鳴りつけてしまいました。他の乗客に怒鳴られるとは思っていなかったのでしょう、そのオヤジは座席から飛び上がって、反対側のデッキに走り出て、そのまま東京に着くまで二度と自席に戻ってきませんでした。

「失言王」麻生太郎の目的

車内で携帯でしゃべっているのは、そういうタイプの「オレはルール違反をしても許されるくらいに偉い人間なのだ」という重要人物アピールをする幼児的なオヤジが多いです。異常に図々しいオバサンもあたりに遠慮がありませんけれど、それは自己中心的過ぎて「周りの人が目に入らない」というだけで、周りの人間を威圧してやろうというような積極的な意図はなさそうです。どちらも「幼児的」という点では共通していますけれど。

図々しいオバサンは昔から一定数いて、それほど増減しませんけれど、自分がルール違反をしていることを知っていて、あえてルール違反するオヤジというのはこのところ増えてきた感じがします。自分は偉いので例外的な扱いを要求できると思っている幼児的なオヤジです。

その代表が麻生太郎ですね。あの人の「憲法改正はナチスに学べ」とか「ナチスの戦争目的は正しかった」といった一連の発言は国際社会において問題視されています（フランスの『ル・モンド』紙は「失言王」というあだなを彼に贈呈しておりました）。でも、あれはまさに「国際社会で問題視されるようなことをいくら言っても日本国内では誰からも罰せられないオレはすごい」という自己顕示のためにわざわざやっているんです。人の足を思い切り踏む。踏まれた方は痛いけど、力の差があるので仕返しが怖くてやり返すことができなくて屈辱感に打ち震える。その様子を見て嗜虐的な快感を得るために、わざわざ人の足を踏む。そういうことをしているのです。

麻生太郎は別にナチスのことなんかどうとも思っていないと思いますよ。ネタは何だっていいんです。「非常識なこと」であれば。「ふつうの政治家がそんなことを言ったら社会的制裁を受けずには済まされないこと」であれば、何でもいいんです。「麻生太郎の場合はそういうことをしても社会的制裁を受けない」という事実を人々に誇示したいだけなんです。あたりかまわずマウンティングをしているんです。「下品」という以外に形容のしようがありません。

彼のマウンティングの直接の相手は政治部の記者たちです。そういう「非常識なこと」を言っても、それをただ「と麻生さんは言いました」と伝言するだけで、反論することも、掘り下げることもできないジャーナリストたちに屈辱感を与えることを愉しんでいるのです。そうやって得られる全能感はやることが非常識になればなるほど亢進する。だから、これからも彼の発言はますます非常識なものになってゆくのだろうと思います。

でも、政治部の記者たちだけをこうやって責めるのも気の毒ではあるのです。だって、記者会見の席で、麻生太郎の暴言を厳しく咎めた場合にその後どんな報復をされるかわからないからです。腹の据わった政治家なら、ジャーナリストに痛撃されても「いや、これは一本取られた」と苦笑して済ませてくれるかも知れませんけれど、当今の政治家にそんな度量は期し難い。今の官邸まわりの政治家たちは他人に批判されると「切れる」という点では中学生とあまり変わりがありません。だから、自分の面目を潰した記者に向かって執拗な報復をしてくることはほぼ確実です。

現に、記者会見で質問にまともに答えようとしない官房長官に食い下がった東京新聞の望月（衣塑子）記者に対して、官邸は「未確定な事実や単なる推測に基づく質疑応答がなされ、国民に誤解を生じさせるような事態は断じて許容できない」という文書を送って抗議しました。この論法が通るなら、記者会見の席でこれから記者たちは「未確定の事実の真偽を確定するための質問」も「推測の当否を確定するための質問」もすべて「許容されない」ことになります。「報道の自由度ランキング」世界72位（2016年）の国ですから、政治部記者たちに「失職を覚悟しても、報復を覚悟しても、気骨ある報道をしろ」と要求するのは気の毒なんです。悪いのは政府の方なんですから。

（2018年1月5日）

セルフプロデュースについて

Q：ご自身のブログが出版社の編集者の目に止まって書籍化され、それがきっかけで世に出てきたという内田先生にうかがいます。今の世の中、SNSで〝いいね！〟を獲得した分だけ、幸せな生き方をしていると思われています。セルフプロデュース能力が問われていいます。明日にでも伊勢丹写真室で素敵なプロフィール写真を撮って、自分のSNSのアイコンにした方がいいでしょうか？

壁新聞からファンジンへ

「セルフプロデュース」という言葉そのものが僕は好きになれないんです。発想自体がなんか「せこい」ような気がして……。

僕の場合は子どもの頃からやっていたことの延長なんです。小学校6年生のときに壁新聞を平川克美君と一緒につくって、教室の壁に貼り出して即刻発禁になったところから僕の「物書き」キャリアは始まりました。

中学校に入るとすぐにマイ謄写版を買って、全部自分で記事を書いた「マイマガジン」をガリで切って、手刷りして、製本して、日本各地の友だちに送っていました。「ＳＦファンズ・クラブ」という中学生中心のファン組織のネットワークがあって、そのメンバーたちと文通していたんです。

とっかかりは『ＳＦマガジン』の文通欄だったと思います。大阪にいた池田さんという人が（この人は大人でしたけれど）「ＳＦの好きな中学生、文通しませんか」と呼びかけて、それに応じた中学生たちがわらわらと集まってきた。それぞれの地域でファンが集まって「ファンジン（ファン・マガジン）」というものを出してました。僕は松下正己君（のちに共著『映画は死んだ』を出しました）と一緒に『トレイターズ』というファンジンを出し、大阪の山本浩二君（その後、画家になって凱風館の老松を描いてくれました）は『ＭＭ』というファンジンを出してました。『ＭＭ』は「筒井康隆直撃インタビュー」とか、とても中学生とは思えないレベルの記事を掲載してました。負けてはならじと、東京には老舗の『宇宙塵』というＳＦファンジンがあって、柴野拓美さんという日本のＳＦ界の草分けの方が主宰していて、周りに多くの才能が集まってきていましたので、その柴野さんを直撃。中学生は録音機なんて持ってないですから、手書きのメモを起こして、「好きなＳＦ作家は誰ですか？」とか「手塚治虫をどう評価しますか？」とか訊いてたと思います。

僕が出していたファンジンの部数は30部くらいのわずかなものでしたけれど、隔月くらいで発行していましたから、小遣いはほとんどすべて印刷代、紙代、郵便代で消えましたね。今の子たちのお小遣いが携帯代で消えるのと同じですよ。

オレたちが守らなくて、誰が守る

SFというのは50年代から流行した新しい文学ジャンルです。進み過ぎた科学技術が人類を滅ぼすというアイディアがリアルになった時代の実相を伝統的な文学は活写することができなかった。そのニッチに生まれたジャンルです。核戦争は切迫してきているけれど、僕たちにはなす術がない。その圧倒的な不条理と無力感から生まれてきたのです。

でも、批評家はSFをまじめに取り上げないし、文学賞候補にもならない。SFは抑圧された文芸ジャンルに見えたんです。だから中学生はSFに熱狂した。ロックやパンクと同じです。SF、カッコいい。真実をありのままに語ったせいで弾圧され、迫害されているジャンルだ、オレたちが守らなくて、誰が守る。そういう気合です。ほとんど地下のレジスタンス活動をしている気分でした。僕らが全国に広がるSFファン中学生の巨大な地下ネットワークを組織していることを親も知らない、教師も知らない、もちろんメディアも報じない。この高揚感はなかなか他で得ることのできないものでした。

高校のときには雑誌部というクラブに入りました。今度は活字印刷です。自治会から予算をたっぷりもらって、発行部数１５００部の豪華な雑誌をつくりました。ジャーナリスト気分で、好きなことを書きまくりました。

大学時代はまたガリ版に逆戻り。政治ビラをキャンパスで撒き、哲学的な文章は同人誌に書き、身辺雑記は手書きしたのをコピーして郵便で友だちに送っていました。

結局、小学生の壁新聞からインターネットまで、やっていることはずっと同じなんです。書きたいことがある。それを書く。複製して配布する。一緒です。だから、インターネットが出てきたときには「おお、これは便利だ。もうガリ切らなくても、コピーしなくても、切手貼って送らなくても済む」と大喜びしました。

別にセルフプロデュースしてたわけじゃありません。言いたいことがあるからそれを書いて、身銭を切って頒布していた。それだけです。有名になろうとか、金儲けしようとか、一度も考えたことがありません。

もちろん、ＳＮＳを使ってセルフプロデュースをやりたいという人はお好きになさればいいと思います。でも、自分で身銭を切ってでも発信したいことがある人以外は、いずれ発信するネタがなくなるんじゃないかな。こういうのは、行きずりの人の袖をつかんで「お願いだから、僕の話を聞いてください」というかなりはた迷惑な行為なんですから。

自分が言わないと他に言う人がいない、自分がしなければ他にする人がいないという切迫感がないと続きません。

それにSNSは名前を売り出すにはあまり効果的なツールじゃないですよ。だって、世界中で何億という人が発信しているわけでしょ。その中でPV稼いで、経済的リターンを得るところまでゆくためには、例外的な個性が必要なんじゃないかな。「セルフプロデュースが流行っているみたいですが、やってみるべきでしょうか?」というような独創性を欠いた問いをしている時点で、セルフプロデュース、もう失敗してるんじゃないですか。悪いけど。

（2019年1月14日）

Q：トランプ大統領で話題のツイッターですが、今からでも始めた方が良いでしょうか?

「共苦の共同体」が立ち上がる

僕はツイッターを、もう7年ぐらいやっていますけれども、これはいいメディアだと思いますよ。ブログをやっているときは、ちゃんとパソコンの前に座って、お茶なんか飲みながら、一応まとまりのある、そのまま商品にできそうなクオリティのものを書いていたんですけれども、忙しくなってくるともうそんなことをしている時間がない。でも、ツイッターなら、電車の中とか、自動車の信号待ちの間にも140字くらい簡単に書ける。

何より、ツイッターはリアルタイムで起きたことをそのままレポートできるのがよいです。わざわざ人に伝えるほどの意味もないことが書ける。「腹減った」とか、「微熱出た」とか、「鼻水とまらない」とか。身体的な不調を訴えることができるメディアって、これまでにありませんでしたから。ツイッターなら数時間後に消失するであろうその場限りの愁訴を伝えることができる。

実際、ツイッターを見ていると、実に多くの人が眠れずにいたり、二日酔いで苦しんでいたり、鼻水垂らしていたり、熱を出していたりする。ああ、世界の人たちって、みんなこんなに苦しんでいるんだということがよくわかる。ふだん、健康そのもので、何の悩みもなさそうな人が、きつい持病をかかえていたり、深刻な家族問題に耐えていたりする。それを読むと、まさに「共苦」の感覚にとらわれる。ツイッター上に「共苦の共同体」が立ち上がる。深夜ツイッターに「まだ眠れない」とつぶやくと、1分ぐらいで「オレも」というリプライが来る。そうすると、ああ、あいつも眠れないのかとわかると、ほっとする。眠れないよなんて、わざわざ友だちに電話したりしません。寝ている人を起こしてまで伝えるようなことじゃない。でも、ツイッターならできる。「愁訴の共同体」「共苦の共同体」というものを立ち上げたことがツイッターの最大の功績じゃないかと僕は思いますね。

（2017年5月21日）

コラム

仮想通貨について

Q：仮想通貨が話題になっています。いまからでも買ったほうがよいでしょうか。

麻雀の点棒に似ている

仮想通貨ですか？　話のネタにするつもりなら買ってもいいと思いますよ。「俺はビットコイン持ってるぜ」って。それで儲けた、損したという話で座が盛り上がるなら、それだけでも元が取れますから。

でも、自分の全財産をそんなものに託するなんて、怖くて誰もしないんじゃないかな。だって、システムエラーで「消えました」と言われても文句を言う先がないんだから。

仮想通貨の仕組み、僕はぜんぜんわかっていないんですけれど、「儲けた、損した」ということがいえるのは、要するにその仮想通貨を最終的に現金に換えた場合のことですよね。

仮想通貨の額面価額には変化がなくて、変わるのは仮想通貨と現金の交換比率だけなんですから。ということは、仮想通貨の価値を最終的に担保しているのは現実の通貨だということになる。仮にビットコインでも支払いができる寿司屋があったとしても（ないと思いますけど）、寿司一貫がいくらであるかは飽くまで現実通貨である円で表示してあるわけで、それがビットコインでいくらに相当するかは、その日の交換比率に従って決まる。コーヒーを飲んだり、新幹線に乗ったり、服を買ったりしたときに、それが現実通貨でいくらであるかは表示されていますけれど、それが手持ちのビットコインでいくらに相当するのかはそのつど計算しないとわからない。つまり、自分がいったいいくらの資産を持っているのかがわからないということです。

仮想通貨というのは「麻雀の点棒」に似てますね。麻雀をやっているときには点棒のやりとりに目を血走らせて、点棒一本のことで一喜一憂しますけれど、それはあくまで雀卓上限定の仮想通貨に過ぎません。ラーメン屋でラーメン代７００円払うときに、一万点棒出して、「うちのレートはピンだから、これで３００円お釣りちょうだい」と言っても相手にされません。

今の世界では、通貨の価値はそれを発行している政治単位の安定性と信用に担保されています。だから、円高になると、輸出産業はさかんに「困ったことだ」と言いますけれど、国民は違います。自国通貨の価値が上がるというのは、それだけ国力が上がっていることだと思えて、むしろなんだかうれしい気持ちになる。何より海外に行ったときに使いでがありますからね。日本人がみんなで頑張ってくれたおかげで円が強くなったんだなと思えば、同胞たちに対する感謝の気持ちも湧いて来ようというものです。

僕が初めてフランスに行ったのは１９７４年で、もう40年以上も前ですけれど、そのときは１フラン60円でした。２度目に行ったのはバブルさなかの87年で、そのときには１フラン25円にまで円が強くなっていました。だから、すごくリッチな気分でした。レストランだって、ホテルだって、前には遠くから眺めていて「どういう人があいうところに行けるんだろう」と指をくわえていたところにも気軽に入っていけたんですから。

通貨の不思議さで、人間は少しも変わったわけじゃないのに、自分が属している国の国際社会における評価が上がると、個人の海外での生活レベルが上がる。いいホテルに泊まって、美味しいものが食べられる。国運と個人の生活の間にリンクがあることが実感される。だから、国民と通貨はある意味で「一蓮托生」なわけです。他の日本人の皆さんががんばってくれたおかげで、こんな贅沢ができる。だったら、このお返しに僕も一臂の力をお貸しせねば……という気になるじゃないですか。

でも、仮想通貨の場合はそういうことは起こりません。だって、仮想通貨が値上がりしているのは、「高値で売り抜けて、他のやつにババをつかませよう」と思っている「自分みたいな人間」がそれだけたくさんいるということなんですから。そして、欲をかいて売り損ねた愚かな仮想通貨ユーザーを置き去りにして高値で売り抜けた者だけが儲かるように制度設計されている。ユーザーたちの間で連帯感や同胞愛が生まれるはずがありません。

現実の通貨と仮想通貨は、機能的には似ているところがありますけれど、やはり別物です。現実通貨の価値を担保しているのは、最終的には人々の「われわれの国は永続する」という幻想です。実際には、国家はどこも生成消滅を繰り返しているわけですから、どの国のものであれ中央銀行が出す通貨はいずれ高い確率で紙くずになります。でも、国民たちは可憐にも「わが国は未来永劫存在するし、自国通貨は絶対に紙くずにはならない」と信じている。通貨の価値を担保しているのは、最終的には国民の「わが国は永遠無窮である」という集合的な思い込みなんです。

でも、仮想通貨の場合、ユーザーたちに求められているのは、システムを愛し、信じ、そこに全財産を託すナイーブさではありません。逆です。システムが破綻するより前に「泥舟から逃げ出す」タイミングを見切れる能力が求められている。それは自国の中央銀行に対する無垢な信頼とはずいぶん手触りの違うもののように思えます。

資産としてお持ちになるなら、どちらでも好きな通貨をお選びになればいいと思いますけれど、僕は国民の国家に対する可憐な信頼に基礎を置いた現実通貨の方が好きですね。

（２０１８年３月21日）

Ⅳ　ゆらぐ国際社会

米とキューバの国交回復にどんな意味があるのでしょうか？

Q：2016年3月下旬、アメリカのオバマ大統領が現職の大統領としては88年ぶりにキューバを訪問して、日本でも話題になりました。1959年1月に社会主義のカストロ政権が誕生し、61年にアメリカ合衆国と国交を断絶したキューバですが、双方にとってまさに歴史的な和解を遂げたことになります。今回の国交回復はオバマ政権のレガシーづくり、とも言われていますが、これって結局、キューバ革命は失敗だった、ということなのでしょうか？

米西戦争「メイン号事件」

アメリカ合衆国とキューバの両国の間にはキューバ革命の前からの深い因縁があります。19世紀の終わりにアメリカ・スペイン戦争というのがありました。そのときにスペインに勝ったことで、アメリカはキューバを事実上の植民地化するのですけれど、開戦のきっかけになったのは「メイン号事件」というアメリカの軍艦の爆発事件でした。アメリカの軍艦がハバナ沖で突然轟沈（ごうちん）して２５０人の乗組員が死んだ。アメリカはこれはスペインが敷設した機雷に接触したせいだといって宣戦布告して、たちまち勝利して、その結果、キューバを保護国にし、スペインの植民地だったプエルトリコ、フィリピン、グアムを手に入れた。でも、戦後の調査で、メイン号の轟沈は燃料の石炭が自然発火して爆発したせいだということがわかった。これはのちのベトナム戦争のきっかけとなったトンキン湾事件と同じです。このときはアメリカの駆逐艦が北ベトナムの魚雷艇に魚雷を撃たれたことがきっかけでアメリカはベトナム戦争に本格的に乗り出したわけですけれど、のちに米政府の自作自演だったことが暴露された。

「いいがかり」をつけて他国に侵入するのはアメリカの「指紋」のようなものです。

でも、米西戦争の問題点は、これを煽って国民的規模の好戦的気分を醸成したのが新聞だったということです。ウィリアム・ハーストの『ニューヨーク・モーニング・ジャーナル』とジョゼフ・ピュリッツァーの『ニューヨーク・ワールド』の二紙がその代表です。ハーストもピュリッツァーものちに「新聞王」と呼ばれましたが、王国の基礎を築いたのはこのときの戦争報道の成功でした。ピュリッツァーは「戦争ほど新聞社に利益をもたらすものはない」と言い放ち、ハーストは「戦争が起こらなければ、私が戦争を起こす」と豪語したと伝えられております。すごいですね。

こうしてアメリカはスペインの植民地を手に入れ、ハワイを武力併合し、メキシコ湾から南シナ海に至る巨大な植民地帝国を築いたのでした。キューバはその帝国のいわば礎石に当たります。

グァンタナモを返せ！

カストロのキューバ革命はアメリカからの独立をめざしたものです。カストロの直接の敵は独裁者バティスタの傀儡（かいらい）政権です。バティスタ政権はアメリカ政府、アメリカ企業、そしてマフィアと結びつき、アメリカ企業の収奪に加担して私腹を肥やしておりましたから、まあ、革命が起きるのも当然です。革命前のバティスタ側の腐敗ぶりは『ゴッドファーザー　パートⅡ』を見るとちょっとわかります。ゲリラ側の様子を知りたければ『チェ28歳の革命』をどうぞ。ベニチオ・デル・トロがカストロの盟友であったチェ・ゲバラを演じております。

アメリカはこのとき自国の植民地から独立運動で追い出されたわけです。ベトナムの場合は遠いアジアにまで出かけて負けたわけですけれど、キューバは「裏庭」のつもりでいたら、そこから叩き出された。だから、ものすごくアメリカは恨んでおり、怒っています。

だから半世紀も経済封鎖を続けて、キューバを日干しにしようとした。

　グァンタナモにはアメリカの海軍基地があります。米西戦争のときに当時のキューバ政府から永久租借した土地です。この賃料がなんと年額4000ドルなんです。4000万ドルじゃないですよ、ただの4000ドル。それだけの土地代で100年以上、116平方キロの土地を占領しています。革命後のキューバ政府はもちろんそんな賃料の受け取りを拒否して、土地を返せと訴えている。アメリカは100年前の政権との約束を盾にとって動かない。

　グァンタナモ基地は国際法もアメリカの法律もキューバの法律も適用されない「治外法権」です。そこで何が行われているかは米軍しか知りません。ここにテロ容疑者が法的保護なしで、長期にわたり拘禁され拷問されていたことが近年暴露されましたが、この租借地には国際法も国内法も適用されないんです。だから、軍がしたいことは何でもできる。

　そういう場所をアメリカはキューバ国内に占有している。占有しているだけじゃなくて、そこで非人道的なことをしている。これについてキューバの人はものすごく怒っていると思います。僕がキューバ人だったらいいからまずグァンタナモ基地を返還しろ、年4000ドルの租借料は利息をつけて叩き返してやるから、まずオレたちの国から出て行け、話はそれからだって言います。僕だったらそれまではアメリカとの交渉にはつきません。

　でも、キューバはその話を脇に置いて、とりあえず交渉のテーブルに着いた。キューバ危機のときにソ連のミサイルを持ち込もうとしたわけですから、あれはやり過ぎだったと思います。だから、そちらもそちらだが、こちらにも多少の非はある、と。そういうふうにキューバの人は腹を括ったんだと思います。

ですから、アメリカとキューバの国交回復を「革命の失敗」というふうに総括するのは適切ではないと思います。たしかに革命後のキューバはひどく貧しかったし、政治的自由があったとも思いません。でも、それ以前のバティスタ時代の腐敗政治に比べたら、ずいぶん「まとも」な国になった。特に貧しい中で、限られた国家資源を医療と教育に投入したことは、立派だった。その結果、キューバ人の医療チームは「国境なき医師団」の中核的なメンバーになった。キューバ人の医師は世界のどこでも「腕がよくて、陽気」と評判が高い、と三砂ちづる先生からうかがったことがあります。医療と教育に資源を集中して国民の知的レベルを高めに維持したことの効果はこのあときっと表れてくると思います。

一方のアメリカにとっても、キューバは有望なマーケットです。キューバに投資したがっているアメリカ企業はたくさんあるでしょう。観光資源もあるし、治安もまだいい。国交回復で信頼関係が形成されれば、いずれグァンタナモの返還も政治日程に上ってくるかも知れない。

これを見ると「時間」というのが大きな要素になるとしみじみ思います。時間が経つと、かつては思いもかけなかったことが起きる。民主党大統領候補のバーニー・サンダースが、

「われわれが目指しているのは政治革命だ」と獅子吼してますけれど、こんな言葉、マッカーシーやフーバーの時代だったら、とても口にできなかった。時代は変わっているんです。

フランシス・フクヤマはソ連の崩壊を以って「歴史は終わった」と言いましたけれど、結局終わらなかった。「歴史は続く」んです。

（2016年7月28日）

不動産王の「壁作り」はなぜ支持されたのか？

Q：大方の予想を裏切り、ドナルド・トランプが第45代アメリカ合衆国大統領に当選したことについて、どう思われますか？

アンチ・グローバリズムの流れ

あちこちに書いたので、同じことの繰り返しになるんですけれど、歴史的な大きな文脈としてはイギリスのEU離脱、ヨーロッパ各国の極右勢力の伸長と同じ政治史的文脈の中に位置づけられる出来事だと思います。ただ、トランプのケースで際立つのは、「アンチ・グローバリズム」がアメリカで大衆的な人気を得たという点です。

この四半世紀、経済のグローバル化が急激に進行しました。それによって、従来の国民国家の枠組みが破壊された。ボーダーコントロールがなくなり、言語も通貨も度量衡も統一され、障壁がなくなってフラット化した世界市場を超高速で資本・商品・情報・ヒトが往来することになった。壊れたのは経済障壁だけじゃありません。それぞれの国民国家が自分たちの帰属する集団に対して抱いていた民族的アイデンティティも破壊された。

グローバル化はそれ以外には経済成長の手立てがなくなったためにやむなく選ばれた道なので、グローバル化を推進していた人たちだって、その果てに何が起きるかについて見通しがあったわけじゃない。とりあえずグローバル化しないと当期の売り上げが立たないという目先の損得で突っ走ってきただけです。でも、経済成長の条件がない環境の下で、無理強いに経済活動を加速してきたわけですから、いずれ限度を超える。現在の株取引は人間ではなく、アルゴリズムが1000分の1秒単位で行っています。金融経済についてはもう変化のスピードが生物の受忍限度を超えています。自分たちが何をしているのか、プレイヤー自身がもうわからなくなってしまった。

昨日たまたま『マネーモンスター』というジョージ・クルーニー主演の映画を観ていたんですけれども、株売買のアルゴリズムが暴走して、一夜にしてある企業の株価が暴落して、多くの投資家が大損害をこうむったというところから話が始まる。企業の広報担当がメディアに責め立てられるんだけれど、「どうしてかわかりません。機械が勝手に暴走しちゃったんですから」と言う他ない。誰も説明できない、誰も責任をとらない。暴落で全財産を失った若者が怒りの持って行き場がないので、この株を勧めたテレビの投資番組のキャスターに銃を突き付けて「いったい何が起きているのか、教えろ」と脅迫する……という話です。映画自体はどうということないんですけれど、株式市場における株価の乱高下には「人間的意味がない」というアメリカ市民の実感をよく映し出していました。

「スローダウンしてくれ」という切実な実感

グローバル経済は金融中心です。カネで株を買い、債権を買い、石油を買い、金を買う。それらは貨幣の代替品ですから、貨幣で貨幣を買っているに等しい。そうでもしないともう売り買いするものがないのです。経済活動が人間たちの日々の衣食住の欲求を満たすことに限定されれば、どこかで「もう要らない」という飽和点がくる。人間の身体が需要のリミッターになる。でも、リミッターが働いていると、どこかで経済成長は止まる。それでは困る。だから人間の生理的欲求と無関係なレベルに経済活動の中心を移した。それが金融経済です。そこではもう人間的時間が流れない。腹が減ればへたり、寒ければ震え、疲れたら眠り込むという生身の身体の弱さや壊れやすさはもう経済活動のリミッターとしては機能しない。

経済活動が人間の日々の生活とここまで無縁になったことは歴史上ありません。だからこそヒューマンスケールを超えた規模の経済活動が行われているのだけれど、そこにどういう法則性があり、その成否が人間たちの生活に何をもたらすことになるのか、誰にもわからない。その「意味不明のシステム」が世界の基幹構造になっている。人間たちはそのシステムに最適化することを求められている。自分たちのライフスタイルも、職業選択も、身につけるスキルや知識も、すべてが金融経済ベースで決定される。だから、長期にわたって集中的に努力して身につけた技術が、業態の変化や技術的イノベーションのせいで一夜にして無価値になるというようなことが現に頻発します。これは人間を虚無的にする。

アメリカの「ラスト・ベルト」の労働者たちが経験したのは、まさにその虚無感だと思います。それが「グローバル疲れ」、変化に対する疲労感として噴出した。社会の変化に対して、「もうついていけない。スローダウンしてくれ」というのはアメリカ市民にとって切実な実感だった。オバマの最初の選挙のときのスローガンは「チェンジ」でした。それが8年かけて深い徒労感だけをアメリカ市民に残した。だから、トランプは「元に戻せ」と呼号して熱烈な支持を獲得したのだと思います。

グローバル化に対して「スピードダウンしてくれ」というのは、日本における2015年の安保法制反対の運動にも伏流していたと思います。SEALDsが多くの支持者を得たのは、彼らが掲げた政策の綱領的正しさゆえではなくて、その「穏やかな言葉づかい」や「立場の違う人たちの意見にも黙って耳を傾ける」マナーでした。同じように、15年は世界各地で「リベラルのバックラッシュ」が見られました。イギリス労働党の党首にジェレミー・コービンが選ばれ、スペインでは急進左派ポデモスが躍進し、米大統領選では社会民主主義者バーニー・サンダースが存在感を示し、カナダでは若いジャスティン・トルドー首相が登場した。そうやって見るとリベラル＝左派的な流れが際立ったわけですけど、彼らの主張も共通するのは「スローダウン」でした。狂躁的なグローバル化の流れを一回止めて、いったいわれわれはどんなゲームをしているのか、なんのために「こんなこと」をしているのかを、ちょっと立ち止まって考えてみようと提案をした。それは政治思想というよりも「ビヘイビア」についての提案だったように思います。

「民主主義ってなんだ」というのがSEALDsの立てた問いでしたけれど、安倍政権はまさに民主的な手続きを経て誕生した政権です。強行採決だって多数決という民主主義のルールに準拠して行われている。法理的には彼らはみごとに民主主義的にふるまっている。でも、何か違う。民主主義的というのは本当は「そういうこと」じゃないだろうと国民の多くが感じていた。でも、それは政治思想としては言葉にならなかった。リベラル・左派の人たちは「民主主義を破壊するな」と言っていましたけれど、安倍晋三は民主主義を破壊なんかしていません。それを巧妙に活用しているだけです。彼ほど民主主義の恩恵をこうむり、その操縦に長けた政治家はいない。だから、彼に向かって「民主主義的にふるまえ」と言っても無駄なんです。「じゃあ、もっとやるぜ」と言うだけですから。そうじゃなくて、僕たちがうんざりしていたのは、その「スピードへの固執」に対してなんです。

なぜ、こんなに急いで次々と重要な国策を決定しなければいけないのか。なぜ議論をしないのか。なぜ「国権の最高機関」での審議を「時間つぶしのセレモニー」だと感じるのか。それは今の与党政治家たちも官僚もビジネスマンも「グローバル化に最高速で最適化する」ことが絶対善であると心の底から信じ切っているからです。

問題は制度そのものにではなく、それを運用するときの「ふるまい」にある。なぜもう少しじっくり時間をかけて、ことの適否について衆知を集めて吟味し、世界の動きをよく観察し、適切な政策的解を一つひとつ決定するという穏やかなふるまい方ができないのか。なぜ「バスに乗り遅れるな」と喚き立て、その「バス」がいったいどこに向かうものかを問題にしないのか。それは安保法案のときも、TPPのときも日本国民みんながひそかに感じていたことだと思います。

狂躁的なアンチ・グローバル化現象

トランプの主張で際立っていたのはメキシコとの国境に「長城」を作ろうという提案でした。国民国家間のすべての障壁をなくせというのがグローバル経済の要求でしたけれど、それに対する「ノー」でした。それを「保護貿易」というふうに言う人がいますけれど、僕はそれには尽くせないと思う。あれは経済的利益のための政策ではなく、むしろコスモロジカルなものなんです。壁を作って、商品や人間の行き来を止めるという図像にアメリカの有権者が「ほっとした」。そこが重要だと思います。人々は「利益」よりも「安心」を求めたのです。「いいから、この流れをいったん止めてくれ。世界をわかりやすい、見慣れた舞台装置の中でもう一度見させてくれ」というアメリカ市民たちの切望が「Make America great again」というスローガンには込められていた。

もちろん、そんなのは一種の思考停止に過ぎません。世界はこの先も彼ら抜きにどんどん変化して行く。でも、取り残されてもいい、思考停止してもいいと思えるくらいにアメリカ人の「グローバル疲れ」は進行していた。その深い疲労感を政治学者たちは過小評価していたと思います。ヒラリーへの支持が弱かったのは、この「グローバル疲れ」という生理的泣訴を投票行動に結びつくファクターになると予測しなかったからでしょう。

これからしばらくは、この「グローバル疲れ」に対する「安心感」を提供できる政治家が世界各国で大衆的な人気を集めることになると僕は予測しています。その最悪のかたちは排外主義です。トランプの成功で「壁の再建」というアイディアが大衆に受けることを世界各地の極右政治家たちは学習した。

アンチ・グローバルが「落ち着け」という一言でわれに返ることであればよいのですが、おそらく多くの社会では「超高速で壁を再建しなければならない。待ったなしだ。『壁作り』のバスに乗り遅れるな」というかたちで狂躁的なグローバル化の陰画としての狂躁的なアンチ・グローバル化が現象するでしょう。愚かなことですけれど、それくらいに「浮き足立つ」というマナーが深く内面化してしまった。
『シン・ゴジラ』の中の台詞で、僕が知る限りネット上で一番言及されたのは主人公の党内的パートナーである泉（松尾諭）の「まずは君が落ち着け」でした。それだけ取れば特別に深い意味のない台詞ですけれど、なぜかこの一言が日本人観客の胸を衝いた。「まずは君が落ち着け」と言われて、はっとした。その自覚が日本人にあるといいんですけれど。

（２０１７年１月29日）

#MeTooはかつてのフェミニズムとは違う

Q：#MeToo運動は現代の公民権運動だから、すぐに収まるものではなくて、世界中でますます強まるだろうと言われる一方、日本では財務省の前事務次官がセクハラで辞任したというのに、「セクハラ罪という罪はない」といい放つ政治家もいます。#MeToo運動、世界的に広がっている女性の人権問題、性的搾取や性的な暴力に対するご意見を聞かせてください。

「告発される男」と「告発を免れる男」

#MeToo運動の始まりはハリウッドからでした。ハーヴェイ・ワインスタインというプロデューサーの悪辣なセクハラの数々が暴露されたのがきっかけです。サルマ・ハエックが「ニューヨーク・タイムズ」でワインスタインから受けた性的虐待についてカミングアウトしていましたけれど、すごい内容でした。ワインスタインは映画界から事実上放逐

され、先日ついに刑事犯として逮捕されました。

ケヴィン・スペイシー、オリヴァー・ストーン、ブレット・ラトナー、ダスティン・ホフマン、ジェームズ・ウッズ、モーガン・フリーマンと次々と告発の対象は広がっています。波紋は映画界の外にも広がり、ジャーナリストや政治家や裁判官が次々と告発されました。昨年12月のアラバマ州上院補欠選では、州最高裁長官だった共和党候補が38年前の未成年のときにセクハラ被害を受けた女性の告発を受けて落選しました。全世界に広がった #MeToo の勢いはもう止まらないと思います。日本への浸透は遅れていますけれど、時間の問題でしょう。

#MeToo 運動はかつてのフェミニズムとは違うと僕は思っています。フェミニズムは「パターナリズム」や「セクシズム」というイデオロギーと制度を告発していました。われわれ男性は男権制から受益している以上「セクシスト」として十把一からげで批判されていました。でも、#MeToo はイデオロギーや制度というような非人称的・抽象的なものではなく、固有名を持った個人の、パーソナルな言動を問題にした。これが効果的だった。

「あなたたち男は全員が性差別的だ」という包括的な批判は、実はされた方は痛くも痒くもないんです。でも、今回は違います。「告発される男」と「告発を免れる男」が、程度の差によって差別化されたんですから。

男権制社会から受益している全男性が定義上はセクシストであるとしても、すべての男が身近な女性を性的対象と見なし、欲望を達成するために権力的にふるまっているわけではありません。#MeToo運動の新しさはこの「程度の差」を重く見たことにあります。僕はその点に賛同します。

僕自身は久しくフェミニストからは「セクシスト」とレッテルを貼られていました（特に反論しませんでしたけど）。でも、僕が主宰する凱風館では、女性はけっこう大切にされていると思います。書生は全員女性だし、事務方もほぼ全員女性です。組織運営は「女性目線」で行われています。

道場の更衣室も女性用は男性用の1・5倍の広さがあります。設計段階で、洗面台も増やしたし、鏡も大きくした。女の人の方が身支度に手間がかかると思ったからです。

そうやって、僕は僕なりに女性の門人たちが快適に稽古できるように、気配りしているんです。でも、かつてはこういうふるまいさえ、「性差別的」と批判する人がいた。そういう原理主義的な言い分にうんざりしていた僕としては、#MeTooが「程度の差」にフォーカスしてくれたことにかなりほっとしています。

（2018年8月16日）

「北朝鮮というリスク」を軽減する方法

Q：2018年7月4日、北朝鮮が「ICBM（大陸間弾道ミサイル）の発射に成功した」と発表しました。「火星14」と名づけられたこの飛行物体は日本の排他的経済水域に落下したそうです。一方、アメリカはミサイルの発射実験を繰り返す北朝鮮に軍事圧力をかけるべく空母2隻を北朝鮮近海に派遣したということで、あくまで空想の話ですが、仮に北朝鮮が発射したミサイルがアメリカの空母に当たっちゃったりしたら、いったいどうなるのでしょうか。

アメリカは責任をとれるか

戦争ということになれば、アメリカはすぐにICBMを撃ち込んで、北朝鮮は消滅することになると思います。

でも、北朝鮮が消滅する規模の核攻撃をしたら、韓国や中国やロシアにまで放射性物質が拡散する（日本にも、もちろん）。朝鮮半島や沿海州、中国東北部の一部が居住不能になるような場合、アメリカはその責任をとれるでしょうか。

空母にミサイルが当たったので、その報復に国を一つ消滅させましたというのは、いくらなんでも収支勘定が合いません。人口２５００万人の国一つを消滅させたというようなことは、さすがに秦の始皇帝もナポレオンもやっていない。それほどの歴史的蛮行は世界が許さないでしょうし、アメリカ国内からもはげしい反発が出る。

北朝鮮の空母がハドソン川を遡航してきてマンハッタンにミサイルを撃ち込んだというならともかく、アメリカの空母が朝鮮半島沖で攻撃されたというのでは開戦の条件としてはあまりにも分が悪い。

そうなると、あとは戦争をすると言っても、ピンポイントで核施設だけ空爆で破壊し、国民生活には被害が出ないようにするという手立てしかない。でも、仮にそれがうまくいって、ライフラインや行政機構や病院・学校などが無傷で残ったとしても、その国をアメリカがどうやって統治するつもりなのか。

アフガニスタンでもリビアでもイラクでも、アメリカは独裁政権を倒して民主的な政権をつくるというプランを戦後は一度も成功させたことがありません。成功したのは72年前の日本だけです。でも、それが可能だったのはルース・ベネディクトの『菊と刀』に代表されるような精密な日本文化・日本人の心性研究の蓄積が占領に先立って存在していたからです。同じように、もし北朝鮮の「金王朝」を倒して、民主的な政権を立てようと思うなら、それを支えるだけの「北朝鮮研究」の蓄積が必要です。でも、アメリカもどこの国もそんなものは持っていない。戦争であれ、クーデタであれ、住民暴動であれ、北朝鮮政権が統制力を失った後の混乱をどうやって収めるかについてのプランなんて、中国もロシアもアメリカも韓国も誰も持っていない。

それについて一番真剣に考えているのは韓国だと思います。でも、その韓国にしても「北伐」というようなハードなプランは考えていないはずです。

とりあえずは脱北者を受け入れ続け、その数を年間数万、数十万という規模にまで増やす。そして、もし何らかの理由で北朝鮮のハードパワーが劣化したら、韓国内で民主制国家経営のノウハウを学んだ脱北者たちを北朝鮮に戻して、彼らに新しい政体を立ち上げさせる。韓国政府が北朝鮮に直接とって代わることはできない。混乱を収めようと思ったら、「北朝鮮人による北朝鮮支配」というかたちをとる他ない。そのことは、韓国政府にはわかっているはずです。

一国二制度で南北統一

もっとソフトな解決法があります。一国二制度による南北統一です。

これは1980年に、当時の北朝鮮の金日成主席が韓国の全斗煥大統領に向けて提案したものです。統一国家の国名は「高麗民主連邦共和国」。南北政府が二制度のまま連邦を形成するという案です。「在韓米軍の撤収」という韓国政府にとって簡単には呑めない条件がついていたせいで実現しませんでしたが、懲りずに北朝鮮は2000年にも金正日が南北首脳会談の席で、金大中大統領に対して、再び連邦制の検討を提案しています。

南北統一については、北の方からまず「ボールを投げている」という歴史的事実は見落としてはいけないと思います。条件次第では、南北統一、一国二制度の方が「自分たちにとって安定的な利益がもたらされる」という算盤勘定ができないと、こんな提案は出てきません。

今の金正恩にとっては、「王朝」の安泰が約束され、「王国」の中で自分たち一族が末永く愉快に暮らせる保証があるなら、一国二制度は悪い話じゃありません。連邦制になれば、核ミサイルをカードに使った瀬戸際外交を永遠に続けるストレスからは解放されるし、飢えた国民が自暴自棄になって暴動を起こしたり、政治的野心を持った側近がクーデタを起こすといったリスクも軽減される。

ですから、北朝鮮問題を考えるときに、北朝鮮と戦争をやって勝つか負けるかというようなレベルの話をしても仕方がないのです。考えなければいけないのは、3代70年にわたってファナティックな専制君主が支配してきた2500万人の「王国」をどうやって現代の国際社会にソフトランディングさせるかという統治の問題なんです。

一番困るのは、金王朝が瓦解した後に無秩序状態が発生することです。難民が隣国にどっと流れ込む。もちろん日本にも場合によっては数十万単位で漂着するでしょう。それについての備えが今の政府にどれだけあるのか、僕は知りません。でも、与党政治家たちの排外主義的な発言を徴する限り、難民問題について真剣に考えているようには見えません。

でも、リスクは難民問題だけではありません。もっと暴力的なリスクがあります。北には大量の兵器があり、麻薬があり、偽ドル紙幣がある。国家事業として「ダーティ・ビジネス」を展開してきたんですから、これは世界中どこでも高値で通用する商品です。中央政府がコントロールを失ったら、当然さまざまな国内勢力がこの巨大利権の奪い合いを始める。近代兵器で武装した「軍閥」が北朝鮮国内各地に割拠して、中国・ロシア・アメリカをバックにした「代理戦争」を始めるというのが、最悪のシナリオです。

もう一つのリスクは、ソ連崩壊後のロシア・マフィアのように、北朝鮮の「ダーティ・ビジネス」を担当していたテクノクラートたちがそのノウハウを携えて、海外で「商売」を始めることです。北朝鮮の「ダーティ・ビジネス」担当者はこれまでも世界各国の諜報機関や「裏社会」とつながりを持ってきました。今までは「国営」ビジネスでしたけれど、王朝が滅びてしまうと、これが私企業になる。兵器や麻薬や偽札作りやスナイパーや拷問の専門家などが職を求めて半島を出て、世界各地で新たな「反社会勢力」を形成することになる。

北朝鮮が瓦解した場合の最初の問題は難民です。でも、難民は寝る所を提供し、飯が食えれば、とりあえずは落ち着かせることができる。怖いのは軍人です。朝鮮人民軍は現役が１２０万人、予備役が５７０万人います。兵器が使える人間、人殺しの訓練をしてきた人間がそれだけいるということです。イラクでは、サダム・フセインに忠誠を誓った共和国防衛隊の軍人たちをアメリカが排除したために、彼らはその後ＩＳに入って、その主力を形成しました。共和国防衛隊は7万人。朝鮮人民軍は１２０万人、その中には数万の特殊部隊員がふくまれます。テロと謀略の専門家を野放しにした場合の治安リスクの大きさは比較になりません。職を失った軍人たちをどう処遇するのか。彼らが絶望的になって、反社会勢力やテロリスト集団を形成しないように関係諸国はどういう「就労支援」を整備したらいいのか。それはもう日本一国でどうこうできる話ではありません。

ですから、リビアやイラクがそうでしたけれど、どんなろくでもない独裁者でも、国内を統治できているだけ、無秩序よりは「まだまし」と考えるべきなのだと思います。今のところ国際社会もそういう考えのようです。とりあえずは南北が一国二制度へじりじりと向かってゆくプロセスをこまめに支援するというのが、「北朝鮮というリスク」を軽減するさしあたっての一番現実的な解ではないかと僕も思います。

（２０１７年9月29日）

Q：北朝鮮が核ミサイルを保有すると、日本はそんなにやばいのでしょうか。Ｊアラートなんかも、安倍政権の国民に対する脅迫のように思えたりもしますが……。

金正恩は成功したＣＥＯ

近隣の国が核兵器を持っていて、その政府の政策決定過程が不透明であり、わが国はその国の仮想敵国たるアメリカの軍事的属国であり、国内の至るところに米軍基地があり、首相が国際世論に抗って「対話の余地はない。圧力をかけろ」と緊張と対立を煽っているわけですから、北朝鮮のミサイルが日本を攻撃してくるリスクはゼロだとは言い切れません。

でも、いきなりアメリカと北朝鮮の戦争が始まるということはないと思います。そういう事態になると当事者双方が困るからです。核戦争になれば、北朝鮮の〝金王朝〟は間違いなく消滅します。アメリカも核攻撃を受けたら有史以来の死傷者を出すことになる。トランプ政権はその外交の拙劣を咎められてガバナンスを失うでしょう。一度戦争を始めてしまったら、得るものより失うものの方が双方ともに多い（多すぎる）。でも、それぞれにメンツがあるので今は「チキンレース」から降りられない。だから、第三国が仲裁に入って、「両方のメンツが立つ」ような解決策を提案するしかありません。果たしてどこがそんな難しい仕事を引き受けるか。中国かロシアか。とりあえず日本には誰も期待していないことは確かです。

北朝鮮問題解決のためのプラグマティックな道筋についての議論は日本ではほとんど熟していません。右翼は「日本も核を持てばいい」とか「先制攻撃で北朝鮮の核ミサイル施設を爆撃しろ」とか無責任なことを言っております。でも、金正恩の瀬戸際外交にも主観的な合理性はあり、それなりの論理性はあるわけです。

アメリカの外交専門誌「フォーリン・アフェアーズ・リポート」の9月号は金正恩を「北朝鮮株式会社を引き継いだ新しいＣＥＯ」として評価した場合、成功した経営者とみなす他ないというデビッド・カンの論文を掲載していました。ＣＥＯの仕事は企業を統治し、リーダーシップを発揮し、明確なビジョンを示すことですが、金正恩はそのすべてに成功しているというのです。反対者を粛清し、自分とアジェンダを共有する者を昇進させ、経済成長と核開発という二つの国家目的を掲げ、そこに国民のエネルギーを集中させている。もし北朝鮮がアメリカの民間企業で、金正恩がそのＣＥＯであった場合、アメリカのビジネスマンたちはその手腕を絶賛するだろう。自国民なら褒め称えられる所業について

「気は確かなのか」などと罵るのは筋違いだとカンは書いています。

「対話か圧力か」の前に

「北朝鮮を物笑いの種にしているようでは、金正恩の統治のリアリティは見えてこない。彼をCEOとみなすのが、彼のリーダーシップスタイルを評価するためのより適切な方法であり、この視点でみれば、彼はうまく組織を統治してビジョンを定め、成功に必要な人材で周りを固めている。おそらく金正恩政権は長期的に存続するものと思われる。少なくともわれわれは彼の実像を理解するように努める必要がある。」（デビッド・カン「金正恩のもう一つの顔」）

いささか肩入れし過ぎのような気もしますが、それでも日本のメディアではまず読むことのできない知的分析だと思いました。

たしかに太平洋戦争開戦当時の大日本帝国戦争指導部よりも現在の金正恩の恫喝外交の方がまだしも規則性があり、予見可能性も高い。だから、かつて日本が暴発したような仕方で暴発に追い込まれる可能性は低いでしょう。

メディアの論調は「対話か圧力か」という二者択一に問題が局限されがちですが、その前に「金正恩の統治のリアリティ」の実相をみつめ、それを作動させている「ロジック」

を見出さないと、外交的選択肢の良否についてはは検討のしようがないと僕も思います。

（2018年1月5日）

今の時代にふさわしい新しい理念はあるのでしょうか？

Q：行き過ぎたグローバリズムに対してアンチ・グローバリズムの嵐が吹き荒れています。自由と平等は普遍的な価値とされていたはずなのに、トランプ氏は「アメリカ第一」を掲げ、ヨーロッパでも極右勢力の台頭が著しいし、この国でも右翼的な団体の影響力が強まっているといわれて久しい。いったい今の時代にふさわしい新しい理念はあるのでしょうか。

国籍を問うことが無意味になる時代

「すべての人は造物主によって平等に創造され、生命、自由、幸福追求の権利を賦与されている」というアメリカの独立宣言の理想は素晴らしいと思います。でも、残念ながらこれはアメリカ一国内の、それも一部の国民にしか適用されませんでした。現実に、この独立宣言が掲げられたときにはまだ多くの黒人たちは奴隷の身分でしたし、彼らが「平等」を要求できるまでさらに200年の歳月を要しました（そして、今もまだ彼らは「平等」を獲得してはいません）。

独立宣言や合衆国憲法の理想を現実化することにアメリカはまだ成功していない。それどころか、むしろ建国の理想を捨てる方向に逆走している。

ごく常識的に考えて、人類の理想とは、地上のすべての人々が、その基本的な生理的欲求を満たされ、愉快にかつ自尊感情を持って生活できることということに尽きると思います。願っていることは誰も同じはずです。でも、その目標を達成するための道筋はそれぞれの国ごと地域ごとに違う。どの道筋を進むかはそれぞれ個別的な政治単位に委ねるしかない。そして、今のところ、国民国家という装置がその政治単位とみなされています。

国民国家というのはアイディアとしてはよくできたものでした。だから、ウェストファリア条約から今まで350年以上も持ちこたえた。でも、国民国家というのは、あくまでいくつかの歴史的条件が揃ったせいで成立した政治的擬制に過ぎません。条件が変われば、機能しなくなり、瓦解することもある。その場合は、新しい環境に適応した別の政治単位が登場してくることになる。これは歴史の必然です。

国民国家ができる前にヨーロッパの支配者だったカール5世は神聖ローマ帝国の皇帝であり、スペイン国王であり、フランドルで生まれ、パリで暮らしました。彼の「国籍」がどこで、どの「国」に帰属していたのかを論じるのは意味のないことです。それと同じように、「国籍を問う」というふるまいそのものが無意味になる時代がいずれ来ます。もう来つつある。

すでに地上のいくつかの地域では、内戦や難民化によって「国民国家というアイディア」そのものが現実性を失っています。国連や有力な国民国家はその難問を「国民国家の再構築」によって解決しようとしていますけれど、僕は無理じゃないかと思っています。今起きている問題はそれらの係争地における国民国家の制度設計そのものの欠陥によって起きているからです。ですから、制度そのものを改変する以外に解決の手立てがない。

共苦の涙が『資本論』を書かせた

僕たちの時代には、世界の70億人が共有すべき「政治的理想」がもう存在しません。かつて東西冷戦の時代でしたら、共産主義と自由主義のどちらが人類の「理想」であるかを競っていた。ソ連の崩壊によって国際共産主義運動は終わりましたが、そのあとはもう誰も人類の理想について語らなくなった。

「人権」や「政治的正しさ」は今も主張されていますが、それがどのような運動や組織を通じて実現するのかについて統一見解があるわけではありません。そして、「人権」や

「政治的正しさ」はしばしば過剰に攻撃的で、非寛容な仕方で主張されてきました。それが人々に強いストレスを与えることになった。「正義」もあまりに厳密に適用されると、むしろ社会を生きにくいものにする。堅苦しく抑圧的な正義よりも、本音剝き出しの邪悪さや欲望の方を「人間らしく」感じるということが起きる。

アメリカが「世界の警察官」であることをやめたいと言い出したのは、「警察官」であることの軍事的・財政的コストに耐えられなくなったということ以上に「きれいごと」を言い続けることにうんざりしたという国民感情があったからだと思います。トランプが出てきたのはそのトレンドからです。

なぜ、正義は流行らなくなったのか。それは正義が過剰に正義であることの害毒にあまりに無自覚だったからだと僕は思います。どのような正義も人間的な感情によって和らげられ、角を削ってまろやかなものにならなければ、正義としては実現しません。「人権」でも「平和」でも「寛容」でも「歓待」でも、その理想をかたちにするときにはやはり「惻隠(そくいん)の情」がおおもとになければならない。僕はそう思います。

マルクスを共産主義に向かわせたのは当時のヨーロッパの労働者たちの日々の生活の苦しみに対する彼自身の生々しい共感でした。労働者たちのあまりに悲惨で過酷な労働環境に対する「共苦」の涙がマルクスに『資本論』を書かせた。でも、どこかで革命家たちは「共苦の涙」がその理論と運動の初発の動機だったということを忘れてしまった。

政治的理想はつねに自己目的化します。万人が幸福に暮らせる社会を実現するためには、その過程でいくらかの人間が苦しんだり、死んだりすることは「正義のコスト」なんだから気にならないという倒錯が生じる。倒錯した正義ほど始末に負えないものはありません。だから、僕はどれほど高貴な政治的理想を掲げた運動でも、生身の人間の弱さや愚かさや邪悪さに対して、ある程度の寛容さを示すことが必要だろうと思うのです。「そういうことって、あるよね」という緩さが必要だと僕は思います。

「大人」が「子ども」のしりぬぐいをする

政治的理想の実現をこれまで阻んできたのはその非寛容さだと僕は思います。わずかでも自分の意見に反対する人間、同調しない人間に対して理想を語る人間たちが下す激烈な断罪。それが結果的に「人間が暮らしやすい社会」の実現を遠ざけてきた。

僕は別に人間の弱さ、愚鈍さ、邪悪さを放置しろと言っているわけではありません。そうではなくて、それは処罰や禁圧の対象ではなく、教化と治癒の対象だと申し上げているのです。場合によっては、罰するよりも、抱きしめてあげることによって暴力性や攻撃性は抑制されることがある。

全員が善良でかつ賢明でなければ回らないような社会は制度設計が間違っています。一定数の「大人」がいて、自分勝手なふるまいをする「子ども」たちの分の「しりぬぐい」をする。それが人間たちの社会の「ふつう」です。一方に身銭を切る人たちがいて、他方にそれに甘える人たちがいる。それは仕方のないことなんです。彼らは悪人であるのではありません。たとえ老人であっても、権力者であっても、大富豪であっても、彼らは「子ども」なのです。全員が利己的にふるまっていては共同体は持たないということがまだわかっていないのです。その幼児性は処罰ではなく、教化と治癒の対象なのです。

じゃあ、その「身銭を切る人」はどうやって担保するのか、と気色ばむ人がいると思います。おっしゃるとおりです。「大人」の確保を制度的に担保することはできません。人間を強制的に「大人」にすることはできませんから。できるのは、「大人」が愉快に、気分よくその「身銭を切る仕事」をしている様子を「子ども」たちに見せることだけです。それを見て「あれ、楽しそうだな」と思った「子ども」たちの中から次の「大人」が出てくるのを待つしかない。

アメリカの衰退傾向はもう止められないと思います。大統領自身が非寛容な政治的目標を掲げて、それに賛同しない国民を攻撃し、排除しようとしている。そして、鏡に映したように、大統領に対する批判も同じように攻撃的で非寛容で嘲弄(ちょうろう)的なものになっている。分断が深まると、両陣営の間に対話の回路を架けることはきわめて困難になる。アメリカ社会は、異文化との架橋に成功し、異質なものを受け入れると繁栄し、集団を分断し、異質なものを排除すると勢いを失うというサイクルを繰り返しています。

今、アメリカは異物を排除することで同質性を高め、そして国力を失うという「退化のプロセス」に踏み込みました。ヨーロッパ諸国もそれに続こうとしています。イギリス、フランス、オランダ、ハンガリーなどでは近いうちに高い確率で排外主義的な政権ができるでしょう。彼らの掲げるシンプルでチープな「物語」に抗して僕たちができるのは「柔らかい、和やかで、もっと厚みのある複雑な気づかい」だけです。それはお訊ねのような「新しい理念」というよりは「昔ながらのやり方」に過ぎないのですけれど。

（2017年4月22日）

「テロとの戦い」なのか

Q：世界ではテロが日常茶飯事になっています。２０１７年３月22日にはロンドンの国会議事堂付近で、４月３日にはサンクトペテルブルクの地下鉄で、同月20日にはパリの凱旋門近くで……。２０１６年７月のバングラデシュの首都ダッカでは日本人７人を含む20人がレストラン襲撃人質テロ事件で犠牲になりました。私たちは一体、どんなひどいことをイスラムの人たちにしたのでしょうか？

イレギュラーな戦争

テロは標的を区別しません。無差別攻撃だから「テロ」なのです。去年のダッカのテロ事件は日本人を標的にしたテロではありませんでした。外国人がいる場所が攻撃された。そこにたまたま日本人もいた。

僕たちは「戦争」というと宣戦布告があって、国際法があって、勝ち負けが決まると講和会議が開かれる国家間の戦争のことしか考えません。でも、今世界で行われている戦争のほとんどはもう国家間戦争ではありません。内戦かテロです。「イレギュラーな戦争」です。宣戦布告もないし、戦時国際法も適用されないし、いつ始まったか、いつ終わったかもわからない。

「テロとの戦い」という言い方をしますが、この「戦い」は国際法で言う「戦争」ではありません。そこにはジュネーブ条約も戦時国際法も適用されないからです。イラク戦争のときのアメリカの交戦規定は「動くものは全部撃て」だったそうです。もちろん陸戦規定違反ですが、誰もそんなことは意に介しませんでした。現代においては、戦争という概念そのものが別のものに変わってしまっている。

今は世界中のすべての場所が「戦時国際法抜きの戦争」のリスクにさらされていると思います。どの都市の、どの場所の、どういう人たちが、どういう理由で、どの交戦団体に攻撃されるか、誰にも予測できない。ニューヨークにいても、パリにいても、ロンドンにいても、どこでもテロに遭うリスクはあります。もちろんリスクに程度差はあります。北欧やカナダや日本は今のところ比較的安全です。でも、国際環境が変われば、どうなるかわからない。

日本が安全なのは、これは間違いなく過去72年間一度も海外で日本の兵士が人を殺していないからです。ですから、集団的自衛権を行使して、海外派兵するようになり、どこかの内戦に巻き込まれ、兵士であれ民間人であれ、人を殺せば、テロの標的になるリスクは一気に高まります。

国民の安全を守るために国内的にできる第一のことは、日本に在住する外国人たちとの穏やかな共生関係を維持することです。さいわい日本国内では、イスラーム教徒に対するひどい差別や迫害はまだ報告されていません。一方、コリアンや中国人に対する排外主義は鎮まる気配がありません。このゼノフォビア（外国人嫌い）がいつどのような対象に飛び火するか予断を許しません。きっかけさえあれば、イスラーム教徒や他のアジア人たちへの差別や迫害が始まるかも知れない。それを予防するためには、人種や宗教や生活文化を異にする隣人たちとにこやかに暮らしてゆく知恵と技術を身に付けるしかありません。

すべてアラーの御心のままに

欧米ではイスラモフォビア（イスラーム恐怖症）が外国人差別の中心的な問題です。日本は工夫次第でこれを回避できる。というのは、日本人が「コリアンや中国人になる」ことは困難ですが、「イスラーム教徒になる」ことはそれほどむずかしくないからです。入信すればいいんですから。

実際に、イスラームへの入信者は増えています。先日、ある中年の女性とお話ししていたら、日々あまりに心が痛むことが続くので、いっそ宗教にでも入ろうかと思っています、と言われました。「それはいいですね。先の見えない時代ですから、信仰の道に入って安心立命を得られたらよろしいのでは」と適当に相槌を打ったら、「イスラームに入ろうと思うんです」と言われてびっくりしたことがありました。

でも、ちょっと考えて、これはなかなか適切な選択かも知れないと思いました。イスラームには教会組織がありませんし、僧侶や牧師に当たる人もいない。神と個人を仲介する組織や人間がいない。神とまっすぐ向き合う。戒律もどう守るかは個人の裁量に委ねられている。厳格な人もいるし、緩い人もいる。一人ひとりのイスラーム教徒が自己決定することです。「すべてアラーの御心のままに」という宗教ですから、病気になっても、離婚しても、失職しても、すべて「はかりがたき神の御心」に委ねることができる。「なぜ私だけがこんなに不幸になるのだ」と天を仰ぎ、神を呪うのではなく、「神にただ感謝（アルハムッドリラー）」と静かに受け容れる。こういうマインドセットの方が、恨んだり、悲しんだり、憎んだりしながら生きるより、なんだかまともな人生が送れそうな気がします。

（2017年7月26日）

歴史というのは一本道を歩んでいるわけではない

Q：読書の秋です。内田先生のオススメの本を教えてください。

近過去と近未来小説

え、今月は選書するだけでいいんですか。それは楽だわ。でも、僕最近ろくに本読んでないんですよ。だから、だいぶ旧聞に属する本になりますけれど、ご容赦ください。

お薦めはフィリップ・ロスの『プロット・アゲンスト・アメリカ』とフランスの作家ミシェル・ウエルベックの『服従』。どっちも面白かったです。フィリップ・ロスは近過去小説（っていうジャンルはあるのかな）、ウエルベックのは近未来小説です。

『プロット・アゲンスト・アメリカ』は1940年の大統領選挙でチャールズ・リンドバーグが大統領に選ばれた「もう一つのアメリカ」の話です。

実際のリンドバーグは親独派で、ゲーリングから勲章をもらったこともある人です。第二次世界大戦が勃発した後も、アメリカの孤立主義と対独宥和政策を訴えて、アメリカの参戦を全力で食い止めようとした。「アメリカ第一」(America First) というドナルド・トランプの大統領就任演説のときのスローガンの元ネタはリンドバーグなんです。

そんなリンドバーグ大佐がフランクリン・ルーズベルトを破って、大統領になってしまう。当然、アメリカ第一主義を掲げて、ヨーロッパの戦争には干渉しない。ナチスドイツとは米独不可侵条約、日本とは米日不可侵条約を締結してしまうので、枢軸国は大暴れ。その結果、ドイツはヨーロッパを支配し、日本はアジアを支配することになる。結局、日本との戦争は始まるのですけれど、史実より少し開戦が遅れます。そんな「もう一つのアメリカ」で主人公のユダヤ人少年が次第に強まってゆく反ユダヤ主義に怯えながら暮らしてゆくというリアルな話でした。

これを読むと、ほんのわずかな「ボタンのかけ違い」で、世界はまったく別のものになった可能性もあるなとしみじみ思います。実際に当時のアメリカ国内では、左翼はリベラルもコミュニストも「反戦」ですし、親ナチ派も参戦に反対でした。アメリカが参戦しなかったら、そのあと世界はどうなっていたでしょう。

アメリカのドイツ系移民の立ち位置は複雑なんです。1848年のヨーロッパ諸国での市民革命の失敗の後、政府の弾圧を逃れてたくさんの社会主義者や自由主義者がアメリカに移住しました。彼らは「48年世代（フォーティエイターズ）」と呼ばれました。この人たちがアメリカにおける社会主義労働運動の拠点を最初に形成したのです。その後、先の大戦中は、ドイツ系移民は「敵性外国人」と見なされて、日系人と同じように収容所に監禁されもしたのです。ですから、ドイツ系移民は出自を隠し、またことさらに愛国的な態度を誇示すると言われています。トランプはドイツ系なんです。リンドバーグの「アメリカ・ファースト」のスローガンを真似したり、あの人もかなり屈折しているんですね。

もう一つの、ウエルベックの『服従』の方は、フランスの大統領にイスラームの人がなってしまって、権力におもねるフランスの知識人たちが次々イスラームに改宗するという皮肉な小説です。こちらは「この先、何かのはずみであり得るかも知れない未来」についての想像力が発揮されています。

歴史というのは一本道を歩んでいるわけではなくて、ちょっとしたボタンのかけ違い、わずかな潮目の変化でまるで違う方向に行ったかもしれない。僕はそう思います。だから、日頃からそういう想像力の訓練をしておいた方がいい。

過去に遡って、そこから「これから起きるかもしれないこと」を自由に想像するためには、「それからあと本当に起きたこと」をいったんカッコに入れて、忘れないといけない。この「知っていることを知らない立場」に仮説的に立つというのは非常に高度な知性の運用を要求します。

シャーロック・ホームズは『緋色の研究』の中で、これを「後ろ向きに推理する（reason

backward)」と呼んでいます。ホームズの推理の要諦は実はこれなんです。過去から未来に向かって一直線に因果の系列でものごとは起きているとは考えない。時の流れのうちには無数の転轍点があって、実際に起きたことは「起こる可能性があったいくつかの出来事」のうちの一つに過ぎないとみなす。そして、「どうしてある出来事は起きて、ある出来事は起きる可能性がありながら起きなかったのか?」を推理する。

歴史学は「どうしてこの出来事は起きたのか?」だけを問い、「どうして『起きてもよいこと』は起きなかったのか?」についてはほとんど関心を寄せません。だから、この問いはもっぱら文学が担当する。SFというのはもともとそういう想像力を鍛えるためのジャンルでした。

フィリップ・K・ディックの『高い城の男』は、第二次大戦で枢軸国側が勝ち、東海岸がドイツ占領地域、西海岸が日本占領地になったアメリカの話です。この中に「連合軍が枢軸国に勝った」虚構の世界を描くSF小説『蝗身重く横たわる』が題名だけ出てきます。小説の中では現実と虚構がくるりと逆転しているわけです。ディックのこの小説にインスパイアされて、実際に『蝗身重く横たわる』を自分で書いたという人を僕は二人知っています。一人は中学生のときに一緒にSFファンジンを出していたSF仲間の松下正己。もう一人は高校生だった頃の矢作俊彦さんです。矢作さんは後年、東日本をソ連が、西日本を英米が占領して分断国家となった日本列島を活写した『あ・じゃ・ぱん』というSFを書いていますけれど、こういう想像力に恵まれた人が時々いるんです。

（２０１８年10月20日）

ポスト・グローバリズム時代の構造的危機

Q：アンチ・グローバリズム・ムーヴメントのうねりが起きるなかで、２０１７年５月、フランスでは一見グローバリストのようにも思えるエマニュエル・マクロンが新大統領に選出されました。「廃藩置県」ならぬ「廃県置藩」を唱える内田先生は、現状をどう分析されますか？

「地域主義」がこれからの流れ

マクロン新大統領がこれからどういう政策を採ることになるにしても、フランスを含めたヨーロッパ全体はすでにアンチ・グローバリズムの流れにあります。これは文明史的な流れですから、一国家の個別的な政策で押しとどめることができません。ＥＵという大きな枠組みはこの後も残るでしょうけれど、それを構成する国民国家がより小さな政治単位に分割されてゆく「地域主義」がこれからの流れになると思います。

イギリスには前からスコットランド独立の動きがあります。ウェールズも独立を志向している。ベルギーは人口1100万人超の小国であるにもかかわらず、地域・言語で6の連邦構成主体に分割され、地域対立があります。イタリアでは豊かな北イタリアが貧しい南イタリアのために税金を払うのは嫌だと言い出して、南北対立が深刻化しています。フランスでも、マリーヌ・ルペンとマクロンでは支持層がはっきりと地域的に分かれました。

これは今に始まった話ではなく、エマニュエル・トッドによると、フランス革命のときから変わらないのだそうです。パリ盆地と地中海沿岸が「リベラル」で、残りの地域は「保守」。ご覧の通り、ヨーロッパはどこも国内的に深刻な対立を抱えています。

国民国家が国民をもう適切に代表することができなくなったのです。17世紀以来、国際政治は国民国家を基礎的な政治単位として営まれてきました。今、その基礎的な政治単位が不安定になっている。煉瓦を積み上げて家を建てるとき、一つ一つの煉瓦の大きさや材質が違ってもなんとかなります。でも、煉瓦そのものが、手に取るといきなり二つに割れたり、三つに割れたりしては仕事にならない。じゃあ、その「煉瓦の断片」ばかりを組み合わせて家を造ればいいいか、というとそうもゆかない。というのは、一度割れ出すと、煉瓦はいくつにも割れ続けるからです。

ベルギーがいい例です。フラマン語、フランス語、ドイツ語圏と使用言語によって国が分かれています。でも、「言語が違うなら分かれて当然」ということをルールに採用してしまうと、その後が困ります。「あの川の向こうとこっちでは、同じフランス語でも、フランス語が違うから同じにして欲しくない」とか「あの村とうちの村では昔から着る服も食べるものもぜんぜん違うんだから（以下同文）」という「言い分」を押しとどめることができなくなるからです。そんな勝手な言い分を取り上げていたら切りがないので、当然「ダメ」なんですけれど、「切りがないからダメ」というのは「間違っているからダメ」ということではありません。手続きがたいへんだから勘弁してくれというのは「うちはよそと違うから独立したい」というその言い分は（実践的には困難だが）原理的には正しいと認めてしまうことになる。

「なんとかファースト」の行末

アメリカでも同様のことが起きています。ジョージア州フルトン郡に富裕層ばかりが住むサンディ・スプリングスという街がありました。そこの住民たちが、自分たちの払う税金が貧困層の福祉に使われるのは納得できないと言い出して、郡から独立することを住民投票で決めてしまったのです。市職員を減らし、その代わり警察と消防を充実させたら、税金が安くなり、治安は良くなった。市民たちは大喜びです。でも、富裕層が独立していなくなったので、フルトン郡の税収は一気に減りました。その結果、学校、病院、図書館などが閉鎖され、街灯が消され、治安は悪くなり、地価は下がり、住民たちは生活に困窮するようになりました。

でも、米国内では、サンディ・スプリングスのケースを「なんとよい考えだ」と支持する人たちが多いのです。自分たちが払った税金は自分たちのために使われるべきで、貧乏人がタダ乗りすることを許さないというロジックで、今30いくつかの市が「独立」を計画中だそうです。

これもまたアンチ・グローバリズムの一つのかたちだと思います。大きな共同体が、利害や特性を共有するより小さな、同質性の高い集団に分かれる。グローバリズムに対するアンチではあるのですが、グローバリズムに対する補正としては働いていない。「公共」という概念が空洞化して、市民たちが私利私欲をあからさまに追求しているからです。

「なんとかファースト」というのは、その発想の典型的な表現だと思います。「なんとかファースト」というのは資源を無計画にばらまかず、効果的に傾斜配分すべしという「選択と集中」のことですけれど、それが効果的であると言う以上、その「なんとか」はひたすら縮減するしかない。集中させる先が狭ければ狭いほど、その効果は大きいはずだからです。一度「なんとかファースト」と言い出した後は、資源分配先が広がるということは絶対に起こりません。

今、国家主義的な言説が広まっているのは実は国家が崩れかけているからだと思います。国民国家に対する信認や期待に揺るぎがないときには別に「お国のために」働くことを人に強要したりする必要はありません。「国のため」「国益のため」ということがうるさく言い立てられ、政府が私権私益の抑制を求めてくるのは、人々が「国」という公共を信じないようになったからです。本来なら公共の場に差し出して、みんなで共同管理すべき資源を自分の懐に抱え込んで占有しようとするようになった。それは公共に対する信頼が失われたからです。

でも、その原因を作ったのは、「公人」たちです。政治家や官僚たちが公共のためよりも私利私欲や私的なイデオロギーの実現に夢中になっているせいで、公共への信用供与を国民が控えるようになってきた。自分が納めた税金を「あいつら」が私的に流用することは許せないという言い方そのものは、与党の政治家が生活保護受給者を罵倒する場合も、メディアが森友学園・加計学園の「ネポティズム」（縁故主義）を批判する文脈で使う場合も、どちらも言葉づかいは同じです。政府も市民も、どちらもが「公共を信頼し、公共に資源を託すこと」を嫌がり始めた。それがポスト・グローバリズムの時代の構造的危機のかたちだと思います。

「代わる人」が出てくる制度設計

それでも、フランスの場合は、最小限の「公共」は制度的に担保されています。基礎自治体としてコミューンというものが存在するからです。サイズは数十万人から数十人までさまざまですが、コミューンごとに市議会があり、市長がいる。なぜ面積も人口も違う行政単位が同格の基礎自治体になりうるかというと、それがカトリックの教区に基づいているからです。街の真ん中に教会があり、教会の前に広場があり、向かいに市庁舎があるというつくりはどのコミューンにも共通です。霊的権威と世俗的権威が向き合っている。権力の古層と権力の新層が目に見えるかたちでそこに拮抗している。

日本の行政単位にはそのような文化的な支えがありません。明治政府の官僚たちが適当に境界線を引いてつくった「机上の空論」だからです。

幕末に藩なるものは国内に276ありました。これを統廃合して、明治4年に1使3府302県に再編されました。そのわずか4カ月後に、今度は1使3府72県に縮減され、それでも多いというので、38府県にまで減らされ、明治21年にだいたい今のかたちに落ち着きました。府県数がこれだけ増減したという事実から知れるのは、明治政府が地域をどう区分するかについて明確な「哲学」を持っていなかったということです。

僕は明治維新前の藩の方が、フランスにおけるコミューンと成り立ち方が似ているのではないかと思います。百万石の大藩もあるし、五千石の小藩もある。でもそこは同格の「国」だった。小さくても、領主がいて、家老がいて、武芸指南役がいて、藩校があって、能や茶の宗匠がいた。一国の統治者という意識を持って政治に携わっていた人が同時に300人いた。

幕末に「四賢侯」と呼ばれた藩主たちがいました。福井の松平慶永、宇和島の伊達宗城(むねなり)、土佐の山内容堂、薩摩の島津斉彬です。4人ともにすぐに将軍に代わって日本を統治できるだけの実力と見識があった。藩は人材育成システムとしても、リスクヘッジ・システムとしてもきわめてすぐれたものだったということです。だから、明治維新のあと短期間に近代化することができたのです。

今の日本には、コミューンや藩のようなしっかりした自治単位がなく、権限は中央政府に集中しています。だから、中央でどれほど失政が続いても、「代わる人がいない」という理由で30%の国民が内閣を支持している。でも、「代わる人がいない」というのは制度設計が間違っているということです。統治システムの安定をまず配慮するなら、「代わる人」が次々出てきて困らないように統治システムは設計されるべきだからです。

アメリカの50の州政府は連邦政府に対して強い独立性を持っています。だから、州ごとに法律が違い、税制が違い、教育制度が違う。先般、カリフォルニア州ではトランプ政権に反対して、独立しようとか、カナダと合併したらどうかという意見さえありました。
地方自治体は中央政府に対して強い独立性を持つべきだと僕は思います。それが国の多様性を担保し、国を活性化するからです。でも、その目的は何よりも「公共に対する信認」を育てることです。周りの人たちを「同胞」と感じることができ、その人たちのためだったら「身銭を切ってもいい」と思えるような、そういう手触りの温かい共同体はどうやったら立ち上げることができるのか。この問いが今ほど切実になったことはありません。

（2017年11月1日）

あとがき

みなさん、こんにちは。内田樹です。

最後までお読み頂きまして、ありがとうございます。

ほとんどが時事ネタなので、中には数年前のこともあり、「これはいったいいつの話だ？」と遠い目をするようなトピックもあったと思います。

僕は未来予測についてはわりときっぱりと「言い切る」ことにしています。ですから、「安倍三選は九分九厘ない」とか断言しているのを読むと、ちょっと赤面します。でも、予測が外れたからと言って、そういう不都合なテクストを抹消するというのはちょっとフェアじゃないような気がして、そのままに残しました。でも、これだけの量の時事評を書いておいて、大外れしたのはこの一つだけですから、僕の未来予測能力はそこそこいけるんじゃないかと自己評価しています。

それでも、２０２０年の世界が新型コロナウイルスによるパンデミックでこれほどの変容を遂げることになろうとは予測もしておりませんでした。「東京五輪は歴史的な失敗に終わる」という予測もある意味で「当たり」でしたけれど、まさかこんな理由によってだとは思いませんでした。

いずれにせよ、パンデミックのせいでグローバル資本主義と新自由主義は大規模な修正を余儀なくされることになると思います。その先に僕たちが採り得る選択肢の一つが「コモンの再生」であるということについては、僕は確信を持っています。それはいま世界各地で、同時多発的に、共同・協働のネットワークの再評価が始まっていることからもうかがい知れます。

最後になりましたけれど、『GQ』誌のために毎月面白い質問をご用意くださった今尾直樹さん、話をどんどんあらぬ彼方に暴走させてくれた鈴木正文編集長のお二人に改めて感謝申し上げます。隔月にお二人にお会いして、おしゃべりをする時間がいつも楽しみでした。『GQ』連載時は、いつもしりあがり寿さんがものすごくかわいい挿絵を描いてくださっていたので、それを見るのも毎月の楽しみでした。

今回単行本化するに際して、『GQ』の掲載原稿をテーマ別に編集してくださった山本浩貴さんの常に変わらぬご尽力にも感謝申し上げます。いつも本当にありがとうございます。

２０２０年７月

内田　樹

著者略歴

内田樹（うちだ・たつる）

1950年東京生まれ。思想家、武道家、神戸女学院大学名誉教授、凱風館館長。東京大学文学部仏文科卒業。東京都立大学大学院人文科学研究科博士課程中退。専門はフランス現代思想、武道論、教育論など。『私家版・ユダヤ文化論』で小林秀雄賞、『日本辺境論』で新書大賞を受賞。他の著書に、『ためらいの倫理学』『レヴィナスと愛の現象学』『街場の天皇論』『サル化する世界』『日本習合論』、編著に『人口減少社会の未来学』などがある。

コモンの再生

二〇二〇年十一月十日　第一刷発行

著者　内田樹

発行者　鳥山靖

発行所　株式会社文藝春秋

東京都千代田区紀尾井町三ー二三

郵便番号　102ー8008

電話　（〇三）三二六五ー一二一一（大代表）

装丁　大久保明子

DTP　エヴリ・シンク

印刷所　大日本印刷

製本所　大日本印刷

ISBN978-4-16-391292-9　　Printed in Japan